Golau Gwlad

Cristnogaeth yng Nghymru

200–2000

Rhan o Lyfr St Chad (8fed ganrif; cadwyd ar un adeg yn Llandeilo) yn dangos Luc yr efengylydd.

Golau Gwlad

Cristnogaeth yng Nghymru

200–2000

Gwyn Davies

GWASG BRYNTIRION

ⓗ Gwyn Davies, 2002
Argraffiad cyntaf, 2002
Ad argraffiad, 2002
ISBN 1 85049 180 1

Cynlluniwyd gan
Rhiain M. Davies (Cain)

Llun y clawr: Dave Newbould

Cyhoeddwyd gan Wasg Bryntirion
Bryntirion, Pen-y-bont ar Ogwr CF31 4DX
Argraffwyd gan Argraffwyr Cambrian, Aberystwyth

Cynnwys

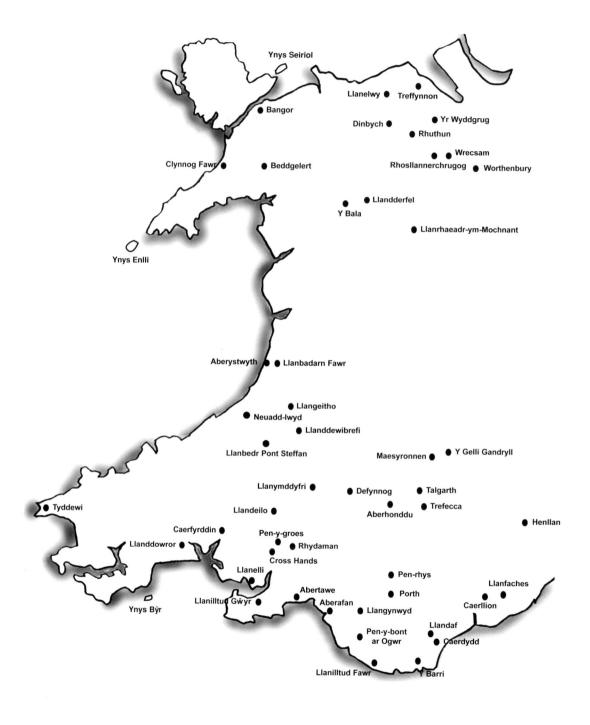

Ynys Seiriol

Llanelwy   Treffynnon

Bangor

Dinbych   Yr Wyddgrug

Rhuthun

Wrecsam

Clynnog Fawr   Beddgelert   Rhosllannerchrugog   Worthenbury

Llandderfel

Y Bala

Llanrhaeadr-ym-Mochnant

Ynys Enlli

Aberystwyth   Llanbadarn Fawr

Llangeitho

Neuadd-lwyd

Llanddewibrefi

Llanbedr Pont Steffan

Maesyronnen   Y Gelli Gandryll

Llanymddyfri   Defynnog   Talgarth

Llandeilo   Trefecca

Aberhonddu

Tyddewi   Henllan

Caerfyrddin   Pen-y-groes

Llanddowror   Rhydaman

Cross Hands

Llanelli   Pen-rhys

Llanfaches

Abertawe   Porth

Llanilltud Gŵyr   Caerllion

Aberafan   Llangynwyd

Ynys Bŷr   Llandaf

Pen-y-bont
ar Ogwr   Caerdydd

Llanilltud Fawr   Y Barri

Rhagair

'Oes llyfr i'w gael ar hanes Cristnogaeth yng Nghymru?' Mae llawer un wedi gofyn y cwestiwn hwnnw i mi dros y blynyddoedd. Ac 'Oes' yw'r ateb: mae llyfrau ar ryw agwedd neu'i gilydd ar hanes y ffydd Gristnogol o fewn ein gwlad yn cael eu cyhoeddi'n gyson.

Ond yr hyn sy'n brin yw arolwg cyffredinol sy'n tynnu'r gwahanol themâu at ei gilydd er mwyn cyflwyno darlun bras o'r maes i gyd i'r darllenydd. A dyna fwriad syml y gyfrol fach hon.

Mewn llyfr o'r maint hwn, mae'n amhosibl gwneud cyfiawnder â phob unigolyn a mudiad a digwyddiad pwysig, na chyfleu'n ddigonol bob agwedd ar unigolion cymhleth a sefyllfaoedd dyrys. Mae'n anochel fod yma gryn gyffredinoli—gorgyffredinoli mewn ambell achos, siŵr o fod—er mwyn ceisio cyflwyno'r llun mawr. Anogir pawb sy'n awyddus i wybod rhagor am yr hanes a amlinellir yma i bori yn y gweithiau a restrir yng nghefn y llyfr ar gyfer darllen pellach. Ceir yno hefyd eirfa syml sy'n egluro rhai o'r termau a'r enwau sy'n codi yng nghorff y gwaith.

Er cydnabod yn agored gyfyngiadau'r llyfr, y gobaith yw y bydd yn cwrdd ag angen arbennig yn y Gymru sydd ohoni. Mae cenhedlaeth yn codi nad yw'n gwybod fawr o ddim am ddylanwad helaeth y ffydd Gristnogol ar fywyd y genedl. Ar ben hynny, gall Cristnogion Cymreig hwythau fod yn ansicr ynghylch rhai o nodweddion amlwg y dylanwad hwnnw. Ymgais yw'r gyfrol fach hon i gyflwyno treftadaeth Gristnogol Cymru i'r Cymry heddiw, ac i ennyn diddordeb o'r newydd yng nghyfoeth y dreftadaeth honno.

Rwy'n ddyledus iawn i nifer o bobl am barodrwydd eu cymwynas a'u cefnogaeth wrth i mi baratoi'r gwaith hwn. Hoffwn gydnabod fy niolchgarwch yn enwedig i Kevin Adams, Eryl Davies, Ifan Mason Davies, J. Elwyn Davies, Noel Gibbard, Sidney Gilbert, R. Geraint Gruffydd, Bobi Jones ac Iain Murray. Bu Elgan Davies a staff llyfrgell Prifysgol Cymru, Aberystwyth, ynghyd â staff Llyfrgell Genedlaethol Cymru, Aberystwyth, hefyd yn llawn cymorth. Rwyf wedi darlithio ar agweddau ar destun y llyfr i fyfyrwyr

Coleg Diwinyddol Efengylaidd Cymru, Bryntirion, Pen-y-bont ar Ogwr, ac mewn gwahanol eglwysi a chynadleddau Cristnogol, gan elwa ar sylwadau a wnaed yn y trafodaethau wedyn.

Hoffwn gofnodi fy niolchgarwch diffuant i Peter Hallam a Huw Kinsey o Wasg Bryntirion am eu cyngor a'u hanogaeth; i Mair Jones am ei gallu hynod i baratoi copi cywir o'r testun ar gyfer ei argraffu; ac i Brenda Lewis ac Edmund Owen am eu cymorth golygyddol. Mae Argraffwyr Cambrian wedi cynnal eu safonau uchel wrth argraffu'r llyfr, a dymunaf gydnabod cymorth arbennig Dai Jones a Mansel Frampton o blith staff y cwmni.

Pleser arbennig gennyf gydnabod cyfraniad amhrisiadwy Rhiain Davies i ffurf derfynol y llyfr. Trwy ei sgiliau dylunio a'r elfennau darluniadol eraill y bu hi'n gyfrifol am eu trefnu, mae hi wedi ychwanegu dimensiwn eithriadol o werthfawr i ymddangosiad y llyfr.

Mae un person arall sy'n haeddu diolch am ei chymorth a'i chefnogaeth helaeth, sef fy ngwraig. Hyderwn y bydd ein plant, a phlant ein plant, yn gyfrwng i barhau'r dystiolaeth i'r efengyl Gristnogol yn ystod y mileniwm newydd.

Gwyn Davies

(Dydd Gŵyl Ddewi 2002)

Egluro

Enwau pobl. Mae'r enwau'n dilyn y patrymau a roddir yn Syr J. E. Lloyd ac R. T. Jenkins, goln., *Y Bywgraffiadur Cymreig Hyd 1940* (Llundain: Cymdeithas Anrhydeddus y Cymmrodorion, 1953); Meic Stephens, gol., *Cydymaith i Lenyddiaeth Cymru* (Caerdydd: Gwasg Prifysgol Cymru, 1986; argraffiad newydd, 1997); a John Davies, *Hanes Cymru* (Harmondsworth: Penguin, 1990).

Enwau lleoedd. Gydag ambell eithriad, mae'r sillafu'n cydymffurfio â'r canllawiau a geir yn Elwyn Davies, gol., *Rhestr o Enwau Lleoedd: A Gazeteer of Welsh Place-Names* (Caerdydd: Gwasg Prifysgol Cymru, 1957).

Siroedd. Eto gydag ambell eithriad, rhoddir enwau siroedd Cymru yn y ffurf a oedd yn arferol iddynt am ganrifoedd cyn ad-drefnu llywodraeth leol yn 1974 ac eto yn 1996.

Teitlau llyfrau, cerddi, ac ati. Rhoddir y teitlau yn eu ffurfiau gwreiddiol.

Dyfyniadau o lyfrau, cerddi, ac ati. Diweddarwyd iaith y dyfyniadau er mwyn eu gwneud yn haws eu darllen. Dengys y cyfeiriadau yn y testun, neu yn yr adran ar y ffynonellau, ai Cymraeg ynteu Saesneg oedd yr iaith wreiddiol.

Dyddiadau. Lle nad yw dyddiadau geni a marw pendant i'w cael ar gyfer person a enwir yn y testun, cyflwynir dyddiadau pan oedd 'yn ei anterth', sef pan oedd fwyaf gweithgar.

Cyflwyniad

Ei enw yw John. Enw ei wraig yw Mair. Mae ganddynt dri o blant: Dafydd, Lisa, a Sara. Maen nhw'n byw yn Llandeilo, ac mae'r plant i gyd yn mynd i Ysgol Teilo Sant yno. Athro yw John, yn Ysgol Pantycelyn, Llanymddyfri, ac mae Mair yn helpu yn yr ysgol feithrin ym mhentref Bethlehem gerllaw. Pan ddaw'r gwyliau, mae'r teulu'n hoffi mynd draw i ardal Tyddewi. Gan fod Tom, brawd Mair, yn byw yn Llanddeiniolen, ger Bangor, teithiant i'r gogledd hefyd o bryd i'w gilydd, gan fwynhau'r croeso a'r golygfeydd gwych yno.

Oes rhywbeth yn eich taro wrth i chi ddarllen y paragraff uchod? Meddyliwch am yr enwau. Mae pob un ohonynt naill ai'n dod o'r Beibl neu'n gysylltiedig rywsut neu'i gilydd â hanes Cristnogaeth yng Nghymru.

Gellir rhoi llawer o enghreifftiau eraill o'n hamgylch yng Nghymru:

- Efallai eich bod yn byw mewn tref neu bentref sy'n cynnwys 'Llan', 'Bangor', 'Capel', 'Betws', 'Eglwys', neu *'Church'* yn yr enw — pob un ohonynt (yn y rhan fwyaf o achosion, o leiaf) yn gysylltiedig â Christnogion neu weithgareddau Cristnogol yn hanes Cymru.

- Efallai eich bod yn adnabod rhywun sy'n ddisgybl (neu'n gweithio) yn Ysgol Griffith Jones, Sanclêr, neu yn Ysgol Morgan Llwyd, Wrecsam, neu yn Ysgol Maes Garmon, Yr Wyddgrug, neu yn un o'r enghreifftiau lu o 'Ysgol Dewi

Eglwys Gadeiriol Llandaf

Sant/*St David's School*—pob un ohonynt yn coffáu un o arwyr Cristnogol y genedl.

- Efallai eich bod yn byw ym Mhorthmadog, dyweder, ac yn gweithio ym Mangor. Bob dydd ar y ffordd i'r gwaith byddwch yn gweld arwyddion i bentrefi Golan, Nasareth, Nebo, Carmel, Saron a Bethel—pob un ohonynt yn cofnodi lle yn y Beibl. Ac ochr draw i Fangor, wrth gwrs, mae un arall eto, sef Bethesda.

- Ond efallai mai Caerdydd yw eich cartref, neu eich bod wrth eich bodd yn ymweld â phrifddinas Cymru. Os felly, mae llawer o gysylltiadau Cristnogol i'w cael yno hefyd:

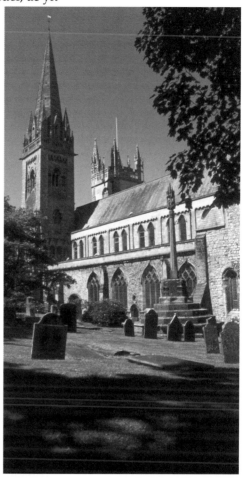

Eglwys Gadeiriol Llandaf

› Draw yn Llandaf saif yr eglwys gadeiriol, mewn man lle y bu eglwys er y chweched ganrif.

› Roedd mynachod Benedictaidd, Brodyr Duon, a Brodyr Llwydion i'w cael yng Nghaerdydd yn yr Oesoedd Canol.

› Adeg y Diwygiad Protestannaidd merthyrwyd Thomas Capper a Rawlins White yno oherwydd eu daliadau (gweler y plac ar siop James Howells).

› Bu Walter Cradoc mewn trafferthion yn Eglwys y Santes Fair oherwydd ei syniadau Piwritanaidd.

› Yng Nghaerdydd y cyfarfu Howel Harris a George Whitefield, yr arweinwyr Methodistaidd, am y tro cyntaf.

› Yn nes ymlaen bu Christmas Evans, y Bedyddiwr enwog, yn weinidog yno.

› Cofnodai'r *Western Mail*, a gyhoeddir yng Nghaerdydd, hynt a helynt adfywiad 1904–05; bu Evan Roberts, prif arweinydd yr adfywiad, yn byw yn y ddinas yn ystod rhan olaf ei fywyd.

› A Chaerdydd oedd man geni Martyn Lloyd-Jones, un o bregethwyr amlycaf yr ugeinfed ganrif.

Mewn gwirionedd, er dechreuadau cenedl y Cymry yn y chweched ganrif mae Cristnogaeth wedi bod yn rhan bwysig iawn o'i bywyd. Ar hyd y canrifoedd mae dynion a merched wedi mynegi a dathlu eu ffydd mewn barddoniaeth a rhyddiaith, mewn cerddoriaeth a chelfyddyd, mewn adeiladau syml ac urddasol, mewn pregeth a gweddi ac emyn.

Ac maen nhw wedi gadael eu hôl yn ddigon amlwg ar y wlad. A oes unrhyw genedl arall ar wyneb y ddaear, tybed, wedi profi effeithiau Cristnogaeth i'r un graddau? Mae'n agoriad llygad, a dweud y gwir, i bori drwy dudalennau cyfrolau swmpus megis *Y Bywgraffiadur Cymreig* neu'r *Cydymaith i Lenyddiaeth Cymru*, a sylwi ar gynifer o enwogion Cymru sydd hefyd â chysylltiad byw â'r ffydd Gristnogol.

Mae nifer mawr ohonynt—pobl megis Dewi Sant, William Morgan, Griffith Jones, William Williams Pantycelyn, a Thomas Charles—yn cael eu hystyried ymhlith cymwynaswyr mwyaf ein cenedl. Ond gwyddom hefyd am lawer un na fu erioed yn enwog ond a fu serch hynny yn halen y ddaear (sydd, wrth gwrs, yn ymadrodd beiblaidd) yn ei 'filltir sgwâr' ei hun.

Hollol gamarweiniol, wrth gwrs, yw meddwl am y Cymry'n 'bobl etholedig' fel roedd yr Israeliaid yn yr Hen Destament. Does dim diben honni chwaith fod hanes Cristnogaeth yng Nghymru wedi bod yn ddi-fai. *Pobl* ar y gorau yw'r bobl orau; a lle bynnag y cewch bobl fe gewch hefyd wendidau a diffygion—yn unol ag un o athrawiaethau sylfaenol y ffydd Gristnogol. Yn yr hanes, felly, ceir cariad ac anghydfod, cyfoeth a thlodi, llewyrch a diflastod, hunan-ymwadu a balchder. Does dim perffeithrwydd y tu allan i'r nefoedd.

Ond y gwir amdani yw fod llawer o'r pethau gorau—a mwyaf diddorol—yn hanes Cymru wedi dod yn sgil Cristnogaeth. Yn sicr, byddai hi wedi bod yn dra gwahanol i'r wlad rydym yn ei hadnabod yn awr oni bai am ddylanwad y ffydd Gristnogol arni. Ar lawer cyfrif mae'r ffydd wedi bod yn oleuni i'r genedl ar hyd y canrifoedd. A ble bynnag yr ewch yng Nghymru heddiw, ni fyddwch yn bell iawn oddi wrth ryw dystiolaeth i effaith y goleuni hwnnw.

Bwriad y llyfr hwn yw tynnu sylw at rai o'r agweddau mwyaf pwysig a mwyaf difyr ar y dystiolaeth honno.

1—Dechreuadau a Deffroadau

Pryd yn union y daeth Cristnogaeth i Gymru? Dyna gwestiwn nad oes ateb pendant iddo. Cyrhaeddodd y ffydd Gristnogol nid gyda rhwysg a bonllef uchel, ond ar flaenau'i thraed. Yn ôl pob tebyg, fe ddaeth gyda milwyr, masnachwyr, a swyddogion Rhufeinig, a'r rheini'n credu yn Iesu Grist ac yn tystio iddo yn eu bywydau bob dydd. Does gennym ddim enwau, nac eglwysi, na chofgolofnau i roi gwybodaeth fanwl i ni am y Cristnogion cyntaf. Mae'n ymddangos nad rhai pwysig nac enwog mohonynt, ond pobl ddigon cyffredin.

Cyn i'r Rhufeinwyr gyrraedd, roedd trigolion y wlad wedi ymrannu'n llwythau, yn siarad iaith (neu ieithoedd) Celtaidd, yn byw fel arfer mewn mannau caerog, ac yn eu cynnal eu hunain drwy gadw anifeiliaid. Roedd amrywiaeth o dduwiau lleol yn eu plith, a dylanwad yr hen dderwyddon yn dal yn y tir i ryw fesur.

Cododd y Rhufeinwyr eu caerau a'u gwersylloedd eu hunain, a'u cysylltu drwy gyfrwng eu ffyrdd enwog. Roeddynt wedi darostwng Cymru erbyn 80 OC; yn y de-ddwyrain daeth y boblogaeth leol yn 'Rhufeinig' eu ffordd o fyw, ond mewn mannau eraill amrywiai'r dylanwad hwn gryn dipyn. Ceisiodd y Rhufeinwyr roi taw ar rym y derwyddon; ond ychwanegwyd duwiau Rhufeinig at y rhai Celtaidd, a'r canlyniad oedd clytwaith o arferion crefyddol.

Seiliau

Dyna'r sefyllfa a wynebai'r Cristnogion cyntaf i gyrraedd Cymru. Ni fu newidiadau dros nos wedi'r cyrraedd hwn; dim ond yn ara' deg y llwyddodd y ffydd Gristnogol i ennill

Mam-dduwies Rufeinig o Gaer-went, (canrif 1af-4edd ganrif)

Y Ffydd yng Nghymru	Hanes a Llên Cymru	Yr Eglwys Ehangach	Y Byd yn Gyfan
		c.33 Marw ac atgyfodi Iesu Grist	
		70 Y Rhufeinwyr yn difa Jerwsalem	**43** Y Rhufeinwyr yn ymosod ar Brydain
Erbyn 200 Cristnogaeth yn cyrraedd Cymru		Athanasius, c. 296-373	
		312 Yr Ymerawdwr Cystennin yn honni bod yn Gristion	
		Martin o Tours, 316/35-397	
		325 Cyngor Nicaea	
		Awstin Sant, 354-430	
		382 Dechrau cyfieithu'r Beibl i Ladin (Y Fwlgat)	
			388 Marw'r Ymerawdwr Macsen Wledig
5ed ganrif Adfywio Cristnogaeth Cymru o gyfeiriad Gâl	**Dechrau'r 5ed ganrif** Y Rhufeinwyr yn gadael Cymru	**5ed ganrif** Cristnogaeth ar gynnydd yn Iwerddon (Padrig)	
			400-600 Y Saeson yn meddiannu Lloegr
			410 Rhufain yn syrthio i'r Gothiaid
		440-61 Leo I yn Bab dylanwadol iawn	
429, 447? Garmon yn dod i Gymru i herio Pelagiaeth		**451** Cyngor Chalcedon	
	c. 496 Arthur yn trechu'r Saeson ym Mynydd Baddon		
6ed ganrif Oes y Seintiau: Illtud, Dewi, Padarn ac eraill	**6ed ganrif** Llenyddiaeth gynharaf yn Gymraeg	**c.529** Benedict yn sefydlu mynachlog Monte Cassino	
	c.540 *De Excidio Britanniae* (Gildas)		
		c. 563 Columba'n dechrau cenhadu yn yr Alban	Mohammed, c.570-629
		590-604 Gregory I yn Bab dylanwadol iawn	
589? Marw Dewi Sant			
		597 Y Pab yn anfon Awstin Fynach i Loegr	
664 Synod Whitby: yr Eglwys Geltaidd yn dechrau ildio i Rufain	**Ail hanner yr 8fed ganrif** Codi Clawdd Offa		
	Canol y 9fed ganrif Y Northmyn yn dechrau ymosod ar Gymru		**800** Coroni Siarlymaen yn Ymerawdwr Rhufeinig Sanctaidd
	Rhodri Mawr, marw 877		
Asser, marw 909	Hywel Dda, marw 950		
Sulien, 1011-91			
		1054 Eglwys Rufain ac Eglwys y Dwyrain yn ymrannu	

tir. Does fawr o ddyddiadau amlwg yn y blynyddoedd cynnar i nodi digwyddiadau pwysig na thwf hynod. Ond gan bwyll bach mae'n amlwg i nifer y Cristnogion ddechrau cynyddu.

Gallwn ddweud yn weddol sicr i Gristnogaeth gyrraedd Cymru erbyn 200 OC. Yng Nghaerllion, Gwent, cafodd o leiaf ddau berson—Aaron a Julius—eu lladd fel merthyron yn ystod y drydedd ganrif am eu bod yn Gristnogion. Pan broffesodd yr Ymerawdwr Cystennin yn 312 ei fod yntau bellach yn Gristion, cafodd yr Eglwys hwb aruthrol ledled yr Ymerodraeth Rufeinig—er i'r statws a'r parch a fwynhâi'r Eglwys o hynny ymlaen hefyd beryglu ei bywyd ysbrydol maes o law. Erbyn 314 roedd digon o drefn ar yr Eglwys ym Mhrydain i fedru anfon esgobion yn gynrychiolwyr i Gyngor Eglwysig Arles yng Ngâl (sef, yn fras, Ffrainc heddiw).

Ni wyddom lawer iawn am union natur Cristnogaeth yng Nghymru yn y cyfnod cynnar hwn. Mae'n debygol iddi flodeuo'n bennaf yn yr ardaloedd hynny lle roedd dylanwad Rhufain ar ei fwyaf amlwg. Ceir olion archaeolegol pwysig— yn enwedig yn y de-ddwyrain—sy'n cadarnhau bodolaeth Cristnogaeth yn y wlad, ond mae llu o gwestiynau pwysig am fanylion y ffydd eto heb eu hateb. O ran ei chred a'i threfn eglwysig, teg casglu eu bod yn debyg i'r hyn a geid yng ngweddill yr Ymerodraeth Rufeinig.

Rhan o garreg fedd Paulinus o Gynwyl Gaeo, sir Gaerfyrddin, efallai c.550. Mae'n bosibl mai hwn oedd y Peulin a fu'n athro i Dewi Sant.

Eglwys Llanilltud Fawr

Daeth rhywfaint o dro ar fyd gydag ymadawiad byddin-oedd Rhufain ym mlynyddoedd cynnar y bumed ganrif. Ni ddylid rhoi gormod o bwyslais ar y newidiadau, gan fod ysgolheigion yn tynnu sylw at barhad cyffredinol y Gristnogaeth 'Rufeinig' ym Mhrydain ar ôl yr ymadael hwn. Ond mae'n wir i'r ffydd brofi sawl ergyd drom yng ngweddill Prydain oherwydd ymosodiadau'r llwythau paganaidd: llosgwyd eglwysi a lladdwyd arweinwyr Cristnogol.

Yng Nghymru, ar y llaw arall, derbyniodd Cristnogaeth hwb sylweddol wrth i'r bumed ganrif symud ymlaen, a hynny o gyfeiriad Gâl. Mae darllenwyr llyfrau *Asterix* yn gwybod yn iawn am bwysigrwydd Gâl, ond roedd yn ddylanwadol hefyd yn nhwf y ffydd Gristnogol. Bu deffroad crefyddol yno, yn gysylltiedig â gwaith cenhadol Martin o Tours (316/35–397), a maes o law gorlifodd i lefydd eraill. Pan gyrhaeddodd Gymru, cychwynnodd cyfnod newydd cyffrous yn hanes y ffydd yn y wlad hon.

Oes y Seintiau

Yr enw arferol ar y cyfnod hwn yw 'Oes y Seintiau' — un o'r enghreifftiau mwyaf llachar o lewyrch gwirioneddol yn hanes Cristnogaeth yng Nghymru. Amlygwyd y llewyrch yng ngweithgarwch y seintiau lu sydd wedi rhoi eu henwau i'r 'llannau' ar hyd a lled Cymru. (Ystyr y gair 'llan' yw 'tir caeëdig'; ond o'r dyddiau cynnar fe'i defnyddid ar gyfer y tir o gwmpas adeilad crefyddol.) Drwy lafur y seintiau aethpwyd â'r neges am iachawdwriaeth yn Iesu Grist i Gymru benbaladr, a daeth Cristnogaeth yn ddylanwad grymus ym mywyd y genedl.

Pwy oedd y 'seintiau' hyn? Roedd 'sant' yn cael ei ddefnyddio'n gyffredinol yn achos rhywun nodedig am dduwioldeb. Ond roedd yr enw hefyd yn cael ei roi — yn aml gan bobl mewn cyfnod diweddarach — i unrhyw un a sefydlai eglwys, neu y tybid iddo sefydlu eglwys. Ni wyddom fawr ddim am y rhan fwyaf o'r 'seintiau' hyn. Er i fywydau rhai ohonynt gael eu cofnodi mewn cofiannau ('bucheddau' yw'r term technegol), ysgrifennwyd y rhain ganrifoedd wedyn, ac mae'n amheus iawn faint o wir a geir ynddynt. Ond gallwn nodi ambell un o'u plith — yn ychwanegol at Dewi, wrth gwrs — a oedd yn amlwg bwysig:

- **Dyfrig** (neu Dubricius, ail hanner y bumed ganrif). Hwn oedd un o'r arweinwyr cyntaf y gallwn roi enw iddo. Mae'n debyg ei fod yn frodor o Ergyng, sydd bellach yn rhan o sir Henffordd. Bu'n enwog am ei ddoethineb, ac am sefydlu ysgol ddylanwadol yn Henllan (*Hentland*), ger Y Rhosau-ar-Wy (*Ross-on-Wye*), a fu'n feithrinfa i lawer o Gristnogion ifainc ac yn bwerdy ar gyfer efengylu yng Nghymru.

- **Illtud** (ail hanner y bumed ganrif). Fel Dyfrig, bu'n arbennig o weithgar yn ne-ddwyrain Cymru. Pwysleisiodd yntau werth addysg er mwyn hyfforddi arweinwyr y dyfodol, a sefydlodd ysgol enwog yn Llanilltud Fawr ym Mro Morgannwg a ddenai lawer o'r seintiau mwyaf dylanwadol. Mae'n bosibl mai ysgol Illtud oedd un o'r canolfannau addysg pwysicaf yn Ewrop yr adeg honno.

- **Deiniol** (marw 584?). Yn ôl dogfennau cynnar, roedd o dras frenhinol, roedd ganddo gysylltiadau agos â Dyfrig, a bu'n astudio yn ysgol Illtud. Fe'i coffeir mewn eglwysi yn ne a gorllewin Cymru, ond yng Ngwynedd — gyda Bangor yn bencadlys iddo — y gwelwyd ei ddylanwad yn fwy na dim.

Croes gylch, Capel y Santes Non, Tyddewi, 5ed–7fed ganrif

Dewi Sant

Er mor enwog yw Dewi fel nawddsant Cymru, y gwir yw na wyddom fawr ddim amdano. Ysgrifennwyd *Buchedd Dewi* gan Rhygyfarch o Lanbadarn Fawr tua diwedd yr unfed ganrif ar ddeg, ryw bum can mlynedd ar ôl marw Dewi ei hun. O ganlyniad, ni ellir bod yn rhy sicr

Cerflun o Dewi Sant, Neuadd y Ddinas, Caerdydd

ynghylch 'ffeithiau' Rhygyfarch, ac yn enwedig felly o gofio ei fod yn awyddus iawn i ganmol Dewi am resymau gwleidyddol. Serch hynny, mae'n debygol fod rhai traddodiadau hynafol am Dewi wedi eu cynnwys yn y *Buchedd*.

Yn ôl Rhygyfarch, enw mam Dewi oedd Non, a'i dad oedd Sant (neu Sandde), mab Ceredig, Brenin Ceredigion. Cafodd ei addysg gynnar yn Henfynyw—mae lle o'r enw hwn i'r de o Aberaeron, er yr honnir hefyd fod yr Henfynyw gwreiddiol yn ardal Tyddewi—ac yna gan Peulin, neu Paulinus, a fuasai o bosibl yn ddisgybl i Garmon. Dywed traddodiad arall iddo dreulio peth amser yn ogystal yn ysgol enwog Illtud. Ei brif ganolfan oedd Tyddewi, ond bu hefyd yn ddiwyd iawn yn pregethu ar led, o bosibl mewn cydweithrediad â seintiau eraill megis Cadog, Padarn a Teilo.

Er mwyn tynnu sylw at bwysigrwydd Dewi, mae Rhygyfarch yn awyddus i nodi gwahanol 'wyrthiau' honedig a briodolir iddo. Un enghraifft yw'r stori am y tir yn codi dan ei draed wrth iddo annerch y senedd eglwysig yn Llanddewibrefi, Ceredigion, er mwyn i bawb gael ei glywed. Yr hyn sy'n arwyddocaol am y stori hon, fodd bynnag, yw mai rhybuddio'r senedd yn erbyn peryglon Pelagiaeth a wnaeth Dewi.

Yn *Buchedd Dewi* dywedir iddo farw ar 1 Mawrth (efallai yn 589), ond roedd ei ddylanwad ymhell o ddod i ben gyda'i farwolaeth. Yn *Armes Prydein*, cerdd o'r ddegfed ganrif, cyflwynir Dewi yn dywysog i'r Cymry yn eu brwydr i gael gwared â'r gormeswyr Seisnig. Dechreuodd pobl fynd ar bererindod i Dyddewi, ac aeth Dewi'n fwyfwy enwog. Yn 1120 cafodd ei gydnabod yn swyddogol yn 'sant' gan Eglwys Rufain, ac yn y ddeunawfed ganrif dechreuwyd dathlu Dydd Gŵyl Ddewi yn ŵyl genedlaethol.

Er y prinder gwybodaeth sicr amdano, mae'n amlwg fod Dewi yn arweinydd pwysig yn y gwaith pregethu a dysgu a fu'n gyfrifol am wneud Cristnogaeth yn rym bywiol ym mywyd Cymru yn y chweched ganrif ac am hir wedyn.

• **Beuno** (marw c.642?). Fe'i cysylltir yn bennaf â Chlynnog Fawr yng Ngwynedd, ond mae'n ymddangos iddo gael dylanwad helaeth drwy ogledd Cymru oherwydd ei bregethu.

Gellid enwi llawer un arall. Ceir dros 500 o enwau lleoedd yng Nghymru yn dechrau gyda 'Llan'. Er i'r gair hwn fel arfer gael ei gysylltu ag enw sant, nid yw pob un o'r enwau lleoedd mor hen â'r sant sy'n cael ei goffáu. Mae'n wir hefyd nad 'Llan' yw'r ffurf gywir ar yr enw ym mhob achos; weithiau, er enghraifft, cymysgir rhwng 'Llan' a 'Glan'. Serch hynny, mewn rhyw ffordd neu'i gilydd mae'r rhan fwyaf o'r llannau yn dathlu cysylltiad ag un (neu ragor) o'r seintiau.

Roedd arwyddocâd arbennig hefyd i Oes y Seintiau — diwedd y bumed ganrif, ac yna'r chweched ganrif ar ei hyd — yn hanes y genedl yn gyffredinol. Dyma adeg sefydlu'r iaith Gymraeg am y tro cyntaf (allan o'r hen iaith Frythoneg). Dyma adeg dechreuadau llenyddiaeth Gymraeg hefyd, a gosod yn fras ffiniau daearyddol gwlad Cymru. A dyma'r union adeg pan oedd y ffydd Gristnogol, er o dan bwysau difrifol yn Lloegr a rhannau o'r Cyfandir, yn gyffrous o lewyrchus yma yng Nghymru ei hun.

Cristnogaeth Geltaidd?

Roedd Oes y Seintiau yn elfen bwysig yn nhwf Cristnogaeth Geltaidd. Fel y mae'r enw hwn yn awgrymu, nid oedd y llewyrch ar Gristnogaeth yn gyfyngedig i Gymru. Yn y cyfnod cynnar hwn, roedd cryn gysylltiad rhwng Llydaw, Cernyw, Cymru, Iwerddon, a'r Alban, trwy gyfrwng 'moroedd y gorllewin', ac o dipyn i beth ymledodd yr adfywiad crefyddol iddynt i gyd. Roedd Cristnogion amlwg yn y gwledydd hyn yn ymwybodol iawn o'r mudiad hwn, a theithiai nifer ohonynt at eu cyd-Geltiaid er mwyn cynorthwyo gyda'r gwaith o bregethu'r efengyl. Yn wir, mae rhywbeth go wefreiddiol yn yr hyn a oedd yn digwydd yn y gwledydd Celtaidd i gyd yn y cyfnod cynnar hwn.

Ond camarweiniol yw meddwl yn nhermau 'Eglwys Geltaidd' neu efallai hyd yn oed 'Cristnogaeth Geltaidd' fel y cyfryw. Nid oedd unrhyw fath o drefniadaeth ganolog yn pontio rhwng yr eglwysi yn y gwledydd Celtaidd. O ganlyniad, ceid amrywiadau rhyngddynt, a gwahaniaethau hyd yn oed

Geiriau olaf Dewi Sant

'Arglwyddi, frodyr a chwiorydd, byddwch lawen a chedwch eich ffydd a'ch cred, a gwnewch y pethau bychain a glywsoch ac a welsoch chwi gennyf fi. A minnau a gerddaf y ffordd yr aeth ein tadau ni iddi, ac yn iach i chwi. A bydded i chwi fod yn rymus ar y ddaear, a byth bellach ni welwn mo'n gilydd.'

Hyder duwiol

'Nid wyf yn ofni dim, oherwydd addewidion y Nef; canys rwyf wedi fy mwrw fy hun i ddwylo Duw Hollalluog, sy'n teyrnasu ym mhob man. Fel y dywed y proffwyd, "Bwrw dy faich ar yr Arglwydd, ac efe a'th gynnal di."'

Padrig Sant

o fewn y gwledydd eu hunain, yn enwedig o ail hanner y chweched ganrif ymlaen. O Iwerddon y daw'r rhan fwyaf o'n gwybodaeth, ac anodd dweud i sicrwydd i ba raddau yr oedd Cristnogaeth Iwerddon yn nodweddiadol o'r ffydd ymhlith y Celtiaid eraill. (Diddorol, serch hynny, yw cofio mai brodor o orllewin Prydain—ac mae'n debygol, felly, o Gymru—oedd Padrig, arweinydd ysbrydol Iwerddon yn y bumed ganrif.)

Oherwydd ymosodiadau'r Eingl-Sacsoniaid paganaidd ar ddwyrain a de Lloegr, gwahanwyd Cymru a'r gwledydd Celtaidd eraill i fesur oddi wrth yr Eglwys Gatholig ar gyfandir Ewrop. Nid gwahanu llwyr mohono, ac roedd rhywfaint o ddylanwad yr hen Gristnogaeth Rufeinig hefyd yn dal yn y tir. Ond i ryw raddau fe ddatblygodd Cristnogaeth Geltaidd—yn enwedig yng Nghymru—yn annibynnol ar awdurdod Rhufain.

Rhai nodweddion

Beth oedd nodweddion Cristnogaeth Cymru yn ystod y cyfnod cynnar hwn? Unwaith eto mae'n rhaid pwysleisio fod y dystiolaeth yn brin, ond mentrwn nodi ambell agwedd bwysig:

- Ceir digon o wybodaeth am y lle amlwg a roddid ymhlith y Celtiaid i bregethu, o bosibl dan ddylanwad Martin o Tours. Mae'n debygol iawn mai gorsafoedd pregethu a dysgu oedd y llannau—neu ganolfannau strategol, efallai, ar gyfer mentro i leoedd eraill i genhadu. Mae'r ffaith fod cynifer o'r llannau hyn i'w cael ledled y wlad yn tystio i weithgarwch diflino y Cristnogion yma yn eu hymdrechion i bregethu efengyl Iesu Grist i'w cyd-Gymry. Trwy'r pregethu hwn heriwyd yn effeithiol ddylanwad yr hen dduwiau paganaidd a grym y derwyddon hynny a oedd yn dal ar ôl.

- Nid pregethu yn eu gwledydd eu hunain yn unig a wnâi'r seintiau. Er iddynt gadw draw oddi wrth yr Eingl-Sacsoniaid bygythiol i ddechrau, buont yn cenhadu'n frwd ymhlith eu cyd-Geltiaid paganaidd. Soniwyd eisoes am gyfraniad pwysig Padrig yn Iwerddon yn y bumed ganrif. Mentrodd Columba o Iwerddon i'r Alban yn 563, gan osod ei bencadlys ar ynys Iona. Dygwyd yr efengyl i ogledd Lloegr o'r Alban yn 635 gan Aidan, a sefydlodd ganolfan Gristnogol ar ynys Lindisfarne.

Ond fe fu rhai yn fwy mentrus o dipyn, gan ymroi i waith cenhadol ymhlith y bobloedd paganaidd mewn ardaloedd sydd bellach yn rhan o Ffrainc, yr Iseldiroedd, y Swistir, yr Eidal, Awstria, Gwlad yr Iâ, ac — yn ôl rhai — hyd yn oed Rwsia. Adroddir i'r Cymro Samson (c.485–c.565) — a llawer un arall, mae'n siŵr — deithio i Iwerddon, Cernyw, a Llydaw.

- Rhoddwyd lle amlwg — yn y blynyddoedd cynnar, o leiaf — i bwysigrwydd rhad ras Duw tuag at bechaduriaid yn Iesu Grist. Roedd peth croeso yn y bumed ganrif i syniadau Pelagius (yn ei anterth, 350–418), a fu'n gwneud yn fach o lygredd pechod. Gwrthwynebwyd ei ddysgeidiaeth yn enwedig drwy ymweliadau Garmon (c.378–448) o'r Cyfandir â Chymru: mynnodd fod pawb oll dan gondemniad Duw oherwydd pechod yn eu natur a phechod yn eu bywydau. Yr unig ateb, felly, oedd iddynt eu bwrw eu hunain ar ras Duw yn Iesu Grist. Dyma'r neges y cydiwyd ynddi gan y seintiau hwythau, ac yn enwedig, mae'n ymddangos, gan Dewi.

- Mynachod oedd y seintiau yng Nghymru, ond nid yn ystyr arferol y gair chwaith. Ymroddai rhai i fywyd unig a llym ei hunan-ddisgyblaeth mewn lleoedd anghysbell, megis Ynys Bŷr (sir Benfro) ac Ynys Seiriol (sir Fôn). Ond sail arferol y fframwaith eglwysig oedd y 'clas' — cymuned o ddynion a oedd yn gyfrifol gyda'i gilydd am yr addoli, y gwaith bugeiliol, a'r cenhadu. Yn gyffredinol, roedd y mynachod hyn yn rhan ganolog o fywyd y deyrnas leol, gan bregethu'n gyson a chynnig arweiniad i bawb yn y

Bydd yn welediad fy nghalon a'm byw

Bydd yn welediad fy nghalon a'm byw;
Dim ond tydi, a'r hyn ydwyt, fy Nuw;
Ynghwsg neu'n effro, bob awr a phob pryd,
Ti yn oleuni, Ti'n llenwi fy mryd.

Emyn Gaeleg, efallai o'r 8fed ganrif

Pelagius a Garmon

Dau gymeriad pwysig yn ystod canrifoedd cynnar Cristnogaeth yng Nghymru oedd Pelagius a Garmon.

Mae'n bosibl mai gŵr o dras Brydeinig (h.y. Gymreig) oedd Pelagius (yn ei anterth 350–418), er nad oes sicrwydd am ei fan geni. Hen arfer ymhlith y Cymry oedd ei alw'n 'Morgan'. Bu'n dysgu yn Rhufain ddiwedd y bedwaredd ganrif a dechrau'r bumed ganrif, gan dynnu cryn sylw ato'i hun oherwydd ei syniadau.

Yn fras, dysgai Pelagius nad yw'r natur ddynol yn ddrwg ynddi'i hun. Yn hytrach, mae gan bobl ryddid cynhenid i ddewis y da neu'r drwg. Gras Duw, yn ei farn ef, yw'r gallu i fyw heb bechu, gan ddilyn esiampl Iesu Grist. (Oherwydd hyn rhoddai bwyslais mawr—ac yn iawn felly—ar fywyd moesol a chyfiawn.) Aeth rhai o'i ddilynwyr ymhellach trwy wadu'r holl syniad o bechod gwreiddiol.

Condemniwyd dysgeidiaeth Pelagius gan yr Eglwys Gatholig yn 416, 418, a 431. Yn groes i Pelagius, dangosodd Awstin o Hippo (354–430) fod pechod mor ddwfn yn ein natur fel na all neb ei achub ei hun, ac mai gwraidd y pechod hwn yw gelyniaeth yn erbyn Duw. Gras Duw, felly—sef trugaredd rad tuag at rai sy'n haeddu digofaint dwyfol, yn ôl Awstin—yw unig obaith pechadur.

Serch y gwrthwynebiad hwn, mae syniadau Pelagius wedi cael peth croeso yn yr Eglwys ar hyd y canrifoedd. Yn y cyfnod cynnar, anfonwyd Garmon (neu Germanus, c.378—448), Esgob Auxerre yng Ngâl, i Gymru yn 429, ac efallai eto yn 447, er mwyn gwrthsefyll dylanwad Pelagiaeth yma. Llwyddodd yn ei waith, a'i safbwynt

Auxerre, Ffrainc.

Awstinaidd a dderbyniwyd gan y 'seintiau' yn y ganrif ddilynol. Yn ystod ei ymweliad cyntaf galwyd arno hefyd i helpu amddiffyn y Cymry rhag ymosodiad chwyrn gan y Pictiaid a'r Sacsoniaid paganaidd. Ceir nifer o enwau lleoedd yng ngogledd Cymru—gan gynnwys Ysgol Uwchradd Gymraeg yr Wyddgrug—sy'n coffáu Garmon a'i waith.

Yn 1937 ysgrifennodd Saunders Lewis ddrama enwog o'r enw *Buchedd Garmon*, sy'n cyflwyno Garmon yn amddiffynnydd y gwerthoedd Cristnogol (a Chymreig) gorau rhag y sawl sy'n ceisio ymosod arnynt a'u chwalu.

gymdeithas. Bywyd syml a thlawd a'u nodweddai, ond roedd rhyddid iddynt briodi a magu teulu.

- O'r cychwyn cyntaf, gosodai Cristnogaeth Geltaidd werth ar addysg, gyda'r bwriad o hyfforddi dynion ifainc ar gyfer bod yn arweinwyr ysbrydol. Gydag amser, daeth nifer ohonynt yn ysgolheigion o fri. Oherwydd y pwyslais ar addysg, a dylanwad Cristnogaeth ar y wlad yn gyffredinol, camarweiniol braidd yw defnyddio'r ymadrodd 'yr Oesoedd Tywyll' yn achos Cymru. Drwy'r sefydliadau Cristnogol y cadwyd parch at ddysg yn fyw, er gwaethaf ymosodiadau chwyrn y Northmyn ar yr eglwysi rhwng y nawfed ganrif a'r unfed ganrif ar ddeg. Ychydig o lawysgrifau wedi eu darlunio'n gain sydd ar gael, fodd bynnag. Y croesau Celtaidd a'r cofgolofnau addurnedig yw'r tystion gweledig sy'n coffáu'r cyfnod hwn yng Nghymru.

Un ganolfan enwog am ei dysg oedd Llanbadarn Fawr yng Ngheredigion. Yn nes ymlaen, yn yr unfed ganrif ar ddeg, blodeuodd y ddysg hon gyda Sulien (1011–91) a'i deulu, yn enwedig ei fab Rhygyfarch (1056?–99). Ddwy ganrif ynghynt, cafodd Asser (marw 909), ysgolhaig enwog yn Nhyddewi, wahoddiad i fod yn gynghorwr i Alfred Fawr, Brenin Wessex. Gwelwn yn eglur yng ngyrfa Asser y berthynas agos rhwng bywyd crefyddol a bywyd gwleidyddol ei gyfnod.

Roedd yr un cysylltiad wedi nodweddu mynach o'r enw Gildas (c.495–c.570), a gafodd ei addysg yn yr ysgol yn Llanilltud Fawr. Tua 540 ysgrifennodd draethawd deifiol o'r enw *De Excidio Britanniae* ('Am Ddinistr Prydain') er mwyn tynnu sylw at y pethau hynny a oedd, yn ei farn ef, yn ddiffygiol ac yn bechadurus yng Nghymru ar y pryd, yn enwedig ymhlith arweinwyr y gymdeithas.

Eglwys Llanbadarn Fawr

Gwendidau a gwasgfeydd

Mae gwaith Gildas yn ein hatgoffa mai anghywir yw tybio fod Cristnogaeth Geltaidd yn enghraifft o grefydd hollol bur. Roedd Cristnogaeth ar gyfandir Ewrop wedi tyfu'n aruthrol mewn statws a grym erbyn y chweched ganrif, ond

Rhan o Lyfr St Chad *(8fed ganrif; cadwyd ar un adeg yn Llandeilo)* yn cynnwys addurniadau Celtaidd a llythrennau onglog.

wedi colli tipyn o'i llewyrch ysbrydol cynnar. Hawdd wedyn yw troi at Gristnogaeth Geltaidd i geisio patrwm o ffydd a bywyd heb eu llygru felly.

Ond er i Gristnogaeth Geltaidd a Rhufeinig dyfu'n annibynnol ar ei gilydd i ryw raddau, hawdd gwneud gormod o'r gwahaniaethau rhyngddynt. Nid oedd eu credoau yn annhebyg iawn i'w gilydd. Am fân bethau—megis dyddiad y Pasg a'r dull o eillio pen mynach—roedd y dadleuon poethaf rhyngddynt. Roedd mynachod ac esgobion gan y Celtiaid ac Eglwys Rufain fel ei gilydd, er bod patrwm yr esgobaethau Rhufeinig yn fwy cadarn a phendant.

Mewn materion eraill nid oedd amrywiadau o bwys rhyngddynt. Mae'n arwyddocaol iawn i'r naill a'r llall roi llai o sylw i bwysigrwydd rhad ras Duw yng Nghrist gyda'r blynyddoedd. Er enghraifft, gosodent ill dwy bwyslais cynyddol ar werth bedydd a Swper yr Arglwydd. Wrth wneud hynny, tueddent i gredu fod gras Duw yn dod bron yn awtomatig drwy'r sagrafennau hyn, yn hytrach na thrwy ffydd yn Iesu Grist yn unig. Ar ben hynny, dechreuai'r ddwy ffurf o Gristnogaeth ddangos parch eithafol (ac ofergoelus) at olion tybiedig y seintiau.

Peth arall a fu'n hynod o bwysig ymhlith y naill a'r llall oedd y syniad o benyd, sef gosod dyletswydd arbennig ar rywun yn gosb am drosedd. Tuedd yr arfer hwn eto oedd tanseilio egwyddor hollbwysig gras. Roedd derbyn penyd am eu trosedd yn annog pobl i dybio fod yn rhaid *ennill* ffafr Duw rywsut, yn hytrach na *derbyn* gras Duw yn waglaw. Un canlyniad anffodus oedd penderfyniad rhywrai i droi cefn ar bob cymdeithas ddynol, a chosbi eu cyrff yn ddidrugaredd, gan dybio fod hyn i gyd yn fodd sicr o ddileu eu pechodau gerbron Duw.

Pwyslais arbennig ymhlith y Celtiaid oedd realiti bodolaeth Duw yn y cread drwyddo draw. Drwy'r ddysgeidiaeth hon atgoffwyd pobl fod pob rhan o'r byd creëdig—gan gynnwys anifeiliaid a phlanhigion—a phob agwedd ar fywyd yn perthyn i Dduw. Ond y perygl mawr oedd iddo ddirywio'n rhyw fath ar bantheistiaeth, sef tybio fod Duw a'r greadigaeth yn un â'i gilydd yn y bôn.

Beth am y berthynas ffurfiol rhwng y Cristnogion Celtaidd ac Eglwys Rufain? Ar y cychwyn gwrthododd

Croes Geltaidd, Nanhyfer, sir Benfro, diwedd y 10fed ganrif–dechrau'r 11eg ganrif.

Cristnogion Cymru dderbyn awdurdod Rhufain ym mherson Awstin Fynach o Gaer-gaint (nid Awstin Sant o Hippo), a anfonwyd gan y Pab Gregory I yn 597 i droi pobl de Lloegr yn swyddogol at y ffydd Gristnogol. O dipyn i beth, fodd bynnag, daeth annibyniaeth lwyr yn fwyfwy anodd ei chynnal. Rhwng 664 (Synod Whitby) a 1000 OC fe blygwyd yn raddol i drefn Rhufain, er i Gymru ddal i lynu wrth ei harferion neilltuol ymhell ar ôl i'r gwledydd Celtaidd eraill ildio.

Daeth pwysau ar y Celtiaid o gyfeiriadau eraill hefyd. Bu ymosod yn ôl ac ymlaen ar y ffin rhwng y Cymry a'r Saeson am flynyddoedd maith, gydag ansicrwydd a pherygl i fywydau ac adeiladau. O'r nawfed ganrif ymlaen cafwyd ymosodiadau milain gan y Northmyn. Er nad oedd eglwysi Cymru yn nodedig am eu trysorau, roedd y rhai agos at yr arfordir yn darged amlwg i'r ysbeilwyr. Yn 914 hwyliodd rhai o'r Northmyn ar hyd aber Hafren, gan ddal Cyfeilliog, Esgob Ergyng, yn garcharor; bu'n rhaid talu pridwerth i'w ryddhau. Wedyn, yn 999, ymosodwyd ar Dyddewi, a lladdwyd Morgenau, yr esgob yno.

Casgliadau

Yn ein dyddiau ni mae 'Cristnogaeth Geltaidd' wedi mynd yn boblogaidd iawn mewn rhai cylchoedd. Gwaetha'r modd, ceir tipyn o ramanteiddio di-sail yn ei chylch, gydag agenda mudiadau modern yn cael ei gwthio ar y Celtiaid druain. Nid yw'r dystiolaeth hanesyddol yn medru cyfiawnhau llawer o'r hyn a honnir heddiw am Gristnogaeth Geltaidd.

Ond er gwaethaf ein diffyg gwybodaeth fanwl am y sefyllfa yng Nghymru, mae'r dystiolaeth o Iwerddon yn enwedig yn sail i nifer o gasgliadau. Mae'n rhaid cydnabod eu gwendidau, ond ar eu gorau—yn enwedig yn y cyfnod cynnar—roedd gan Gristnogion Celtaidd nifer o nodweddion amlwg:

- Parch dwfn at y Beibl. Mae Padrig a Gildas, er enghraifft, yn cyfeirio'n aml iawn at y Beibl yn eu gwaith ysgrifenedig.

- Dealltwriaeth fyw o bwysigrwydd rhad ras Duw wrth ddarparu Gwaredwr a oedd wedi marw dros bechaduriaid ar y groes er mwyn eu dwyn yn ôl at Dduw.

- Awydd ysol i sôn am y Gwaredwr hwn wrth bobl eu gwledydd nhw eu hunain ac wrth bobl gwledydd eraill. Mae gwaith cenhadol y Cristnogion Celtaidd yn rhyfeddod.

- Cariad diffuant at Iesu Grist. Eu cariad ato a fu'n eu cymell i ymroi i'w gwaith efengylu.

- Ymwybyddiaeth frwd o realiti presenoldeb Duw ym mhob agwedd ar fywyd, gan gynnwys pethau pob dydd.

- Hyder sicr fod Duw wedi eu cynnal a'u cadw, er gwaethaf pob ymosodiad a bygythiad, er mwyn iddynt ddwyn tystiolaeth arbennig eto i efengyl Iesu Grist.

Dros gyfnod hir y deuai rhai o'r tueddiadau anfeiblaidd mwyaf difrifol i'r amlwg. Gellid tybio fod Cristnogaeth Geltaidd yn y bumed a'r chweched ganrif yn dipyn iachach nag yn y canrifoedd wedyn. Ond mae'n debyg fod ei diwedd yn anochel yn y pen draw, yn enwedig o gofio nad oedd ganddi drefniadaeth ganolog i'w chynnal a'i gwarchod.

Yn ystod ei hoes hir, serch hynny, bu ei chyfraniad—yn enwedig mynd â'r efengyl i Gymru gyfan a gwneud Cristnogaeth yn rhan ganolog o fywyd y genedl—yn rhyfeddol o werthfawr. Hyd heddiw saif y 'llannau' a'r cofgolofnau—y croesau Celtaidd hardd, er enghraifft—yn dystiolaeth i'r cyfraniad hwn.

Capel Gofan Sant, ar arfordir sir Benfro

Eglwys Gadeiriol Tŷ Ddewi

2—Er Gwell, Er Gwaeth

Mae'r rhan fwyaf ohonom yn cofio gorfod dysgu dyddiadau mewn gwersi hanes. Ond mae pawb yn gyfarwydd ag un dyddiad yn hanes Lloegr: 1066—glaniad y Normaniaid, dan arweiniad Gwilym Goncwerwr. Ac nid oedd modd cadw'r Normaniaid o fewn ffiniau Lloegr yn unig. Cyn hir, dyma nhw'n dechrau estyn eu gafael yr ochr yma i Glawdd Offa, gan gychwyn cyfnod newydd yn hanes Cymru.

Roedd y Normaniaid yn awyddus i sicrhau eu hawdurdod dros bob rhan o fywyd—gan gynnwys yr Eglwys—yn eu tiroedd newydd. Un canlyniad oedd gosod ar Gymru yr un patrwm eglwysig ag a geid yn Lloegr. Er bod esgobion a rhyw fath o drefn blwyfol i'w cael yng Nghymru eisoes, yn awr sefydlwyd fframwaith mwy trwyadl o esgobaethau (gydag eglwysi cadeiriol) a phlwyfi, a rhoddwyd gofal am faterion crefyddol cenedl y Cymry yn nwylo Archesgob Caer-gaint.

Ceisiai rhai fel Rhygyfarch o Lanbadarn Fawr a Gerallt Gymro (1146?–1223) ennill rhyddid i'r Eglwys Gymreig oddi wrth awdurdod Caer-gaint. Cyflwynasant ddadleuon i'r Pab gan geisio dangos mai Tyddewi oedd canolfan hanesyddol y ffydd Gristnogol yng Nghymru, ond methu fu hanes eu hymdrechion. Ar ôl marw Llywelyn ap Gruffudd, yr olaf o'r tywysogion, yn 1282, nid oedd fawr o obaith am lwyddiant felly.

Pylu

Am ganrifoedd wedyn, drwy gydol y cyfnod rydym fel arfer yn cyfeirio ato fel yr 'Oesoedd Canol', roedd Cymru'n rhan ddigon ufudd ond eithaf llugoer o gyfundrefn Eglwys Rufain. Roedd y bywyd a'r wefr a oedd wedi nodweddu Oes y Seintiau wedi pylu. Er bod dylanwad y ffydd i'w weld yn

---

Dyfodol Cymru?

'Ac nid unrhyw genedl arall, fel y barnaf fi, amgen na hon o'r Cymry, nac unrhyw iaith arall, ar Ddydd y Farn dostlem gerbron y Barnwr Goruchaf . . . a fydd yn ateb dros y cornelyn hwn o'r ddaear.'

'Hen Ŵr Pencader', 1163

Y Ffydd yng Nghymru	Hanes a Llên Cymru	Yr Eglwys Ehangach	Y Byd yn Gyfan
Rhygyfarch, 1056?-99			1066 Buddugoliaeth y Normaniaid yn Lloegr
Ar ôl 1066 Gosod patrwm esgobaethau a phlwyfi			
	Sieffre o Fynwy, c. 1090-1155	Bernard o Clairvaux, 1090-1153	
		1096 Cychwyn Rhyfeloedd y Groes	
1131 Abaty cyntaf y Sistersiaid yng Nghymru (Tyndyrn)			
	Gerallt Gymro, 1146?-1223		Genghis Khan, 1162-1227
	Llywelyn Fawr, 1173-1240		
	1176 Cynnal 'Eisteddfod' yn Aberteifi	Diwedd y 12fed ganrif Dechrau'r Waldensiaid	
		Ffransis o Assisi, 1181/2-1226	1215 Magna Carta
c. 1250 'Mab a'n Rhodded' (Carol Nadolig)	c.1250 *Llyfr Du Caerfyrddin*	Tomos o Acwin, c. 1225-74	
			1271 Marco Polo'n cychwyn am Tsieina
	1282 Lladd Llywelyn ein Llyw Olaf		Dechrau'r 14eg ganrif *Y Gomedi Ddwyfol* (Dante)
			1314 Bannockburn: Albanwyr yn trechu'r Saeson
	Dafydd ap Gwilym, yn ei anterth 1335-50	John Wycliffe, c.1330-84	
	1346 *Llyfr Ancr Llanddewibrefi*		1347-50 Y Pla Du drwy Ewrop
		John Huss, c.1372-1415	
		1378-1417 Dau (neu dri) o Babau	
c.1390 Lolardiaid yn Gororau (Gwallter Brut)		Tomos à Kempis, c.1380-1471	
Siôn Cent, c.1400-30/45	1400-1415 Gwrthryfel Owain Glyn Dŵr		Siân d'Arc, 1412-31
		Savonarola, 1452-98	1453 Y Tyrciaid yn cipio Caergystennin
			c.1456 Dechrau argraffu llyfrau yn Ewrop
		c.1479 Sefydlu'r Chwil-lys yn Sbaen	
	1485 Harri Tudur yn cipio coron Lloegr		1492 Columbus yn cyrraedd y Caribî

weddol amlwg ar lawer agwedd ar fywyd, nid oedd llawer o rym ysbrydol na chadernid beiblaidd yn y ffurf hon o Gristnogaeth.

Mae'n ddigon hysbys i Dafydd ap Gwilym (yn ei anterth, 1335–50), er enghraifft, fynychu eglwys Llanbadarn Fawr yn gyson. Yn ôl ei gyffes ei hun, fodd bynnag, roedd ei feddyliau yno'n troi llawn cymaint at y merched yn y gynulleidfa ag at bethau crefydd:

> *A'm wyneb at y ferch goeth*
> *A'm gwegil at Dduw gwiwgoeth.*

Ond yr un pryd, gallai Dafydd ymroi i ysgrifennu'n fyw iawn am ddioddefaint Iesu Grist ar y groes, a hefyd yn ddeifiol am rai o ddiffygion amlwg yr Eglwys yr adeg honno.

Dylanwad Awstin

Mae sôn am Dafydd ap Gwilym, un o feirdd pwysicaf Ewrop yn yr Oesoedd Canol, yn ein hatgoffa am y swmp sylweddol o lenyddiaeth o'r cyfnod hwn sy'n dathlu rhai o themâu mawr yr efengyl Gristnogol. Gwelir dylanwad Awstin Sant, diwinydd mwyaf yr Eglwys Fore, yn eithaf eglur ar y llenyddiaeth hon. Yn wahanol i Pelagius, roedd pwyslais Awstin ar realiti natur bechadurus pawb yn ddiwahân. Oherwydd y natur bechadurus hon, roedd angen achubiaeth ar bob un rhag condemniad Duw. Ond hefyd oherwydd y natur bechadurus hon, ni allai neb ei achub ei hun. Rhyfeddod mawr yr efengyl oedd i Dduw yn ei ras ddod i'r adwy, wrth ddarparu iachawdwriaeth yn rhad trwy farwolaeth iawnol ei Fab, Iesu Grist.

Gwyddom fod gweithiau Awstin yn uchel iawn eu parch yng Nghymru yn ystod yr Oesoedd Canol. Mynegir rhai o'i bwysleisiau beiblaidd yn eglur yng ngwaith y Gogynfeirdd, neu Feirdd y Tywysogion, am ddau can mlynedd o ddechrau'r ddeuddegfed ganrif ymlaen. Sonient yn aml, er enghraifft, am y Drindod. Yn wir, ymhlith y llenyddiaeth ysgrifenedig gynharaf oll yn Gymraeg ceir englynion sy'n canmol y Tad, y Mab, a'r Ysbryd Glân yn un Duw. Rhoddent le blaenllaw hefyd i bynciau canolog megis dioddefaint achubol Iesu Grist ar y groes, Dydd y Farn, a byrder bywyd. Dyma ddarn o farddoniaeth a geir yn *Llyfr Du Caerfyrddin* (tua 1250):

Cyffes Awstin Sant

'Canys aml a mawr yw fy llesgedd: y mae'n lluosog ac yn anferth. Ond grymusach yw dy feddyginiaeth di . . . Wele, Arglwydd, yr wyf yn bwrw fy maich arnat ti.'

O'i ddolur aruthr yr amddiffynnodd Duw ni pan gymerodd gnawd.
Colledig fyddai dyn oni bai i Grist ei waredu – gweithred ddi-fai.
O'r groes waedlyd y daeth achubiaeth i'r bydysawd.

Mae'r emyn gorfoleddus 'Gogoneddus Arglwydd, henffych well', a luniwyd tua'r un pryd, yn galw ar bob peth yn y nef ac ar y ddaear i foli Duw:

Yn dy fendithio boed pob da a wnaed.
Yn dy fendithio y byddaf, Arglwydd y Gogoniant;
Gogoneddus Arglwydd, henffych well.

Bathodyn pererin o Lacharn, sir Gaerfyrddin, (14eg neu 15fed ganrif); prynwyd y rhain i goffáu'r daith.

Cyfeiriad gwahanol

Ond ochr yn ochr â'r themâu beiblaidd hyn, daeth nodweddion llai canmoladwy i'r amlwg hefyd:

- Ceir yng ngwaith y Gogynfeirdd gyfeiriadau aml at ddefosiwn at Mair a'r seintiau, ac mae'n amlwg fod bri mawr arnynt. Roedd y Sistersiaid a'r Ffransisiaid fel ei gilydd yn nodedig am eu hymroddiad i Mair.

- Codai ffasiwn i fynd ar bererindod i wahanol leoedd, er mwyn ennill rhinwedd arbennig yng ngolwg yr Eglwys:

  ‣ Teithiai'r rhai mwyaf mentrus i Rufain neu Jerwsalem.

  ‣ Yng Nghymru ei hun, roedd mynd mawr ar leoedd a gysegrwyd i Mair, megis Pen-rhys yng Nghwm Rhondda, neu fannau'n gysylltiedig ag enwogion y ffydd, megis Derfel Gadarn yn Llandderfel, Meirionnydd.

  ‣ Cyrchfan arall oedd Ffynnon Wenfrewi yn Nhreffynnon, sir Fflint, oherwydd y gred fod y dŵr yno yn medru iacháu pobl.

  ‣ Byddai eraill yn teithio i Dyddewi oherwydd y cysylltiad â Dewi, yn enwedig ar ôl i'r Pab Callixtus II ddeddfu yn y ddeuddegfed ganrif fod mynd i Dyddewi ddwywaith yn gyfwerth â mynd i Rufain unwaith, a bod mynd i Dyddewi deirgwaith gystal â mynd i Jerwsalem unwaith.

  ‣ Denai Ynys Enlli, Pen Llŷn, bererinion lawer oherwydd yr honiad (anghywir) i 20,000 o seintiau gael eu claddu ar yr ynys.

Ynys Enlli

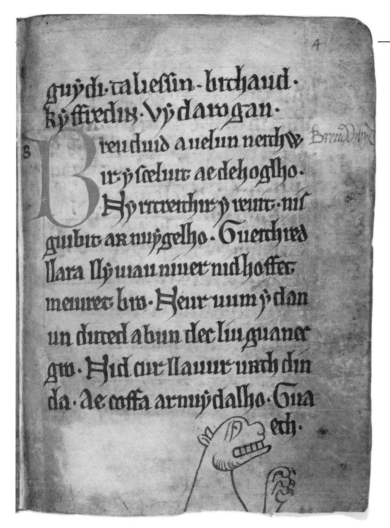

Rhan o Lyfr Du Caerfyrddin, *c.1250*

- Er gwaethaf pwyslais cryf Awstin ar yr angen allweddol am ras Duw, dechreuwyd tybio mai hanfod Cristnogaeth oedd ceisio ennill ffafr Duw hefyd drwy ddilyn gwahanol ddefodau'r Eglwys. A dyfynnu geiriau cân arall yn *Llyfr Du Caerfyrddin,*

  Drwy godi ar gyfer gwasanaeth y Plygain, ac aros ar ddi-hun ganol nos,
  gan ymbil ar y saint,
  dyna sut y caiff pob Cristion faddeuant.

O ganlyniad i'r tueddiadau hyn, daeth newid go sylfaenol yn y ffordd yr oedd pobl yn deall union natur y ffydd Gristnogol.

Y mudiad mynachaidd

Ar ryw olwg, ymateb i'r dirywiad ym mywyd ysbrydol yr Eglwys oedd y mudiad mynachaidd. Bwriad gwreiddiol y gwahanol urddau mynachaidd oedd cilio oddi wrth rwystrau a themtasiynau'r byd er mwyn ceisio perthynas ddyfnach â Duw. Mae lle i holi ai dyma'r darlun o'r bywyd Cristnogol a geir yn y Testament Newydd. Ond gallwn dderbyn i lawer droi'n fynachod neu'n lleianod am iddynt ddymuno cymryd Duw o ddifrif, gan ei wasanaethu yn y modd yr oedd yr Eglwys ar y pryd yn ei gymeradwyo.

Sefydlwyd mynachlogydd gan yr urddau pwysicaf wedi dyfodiad y Normaniaid. Yn wir, roedd y Cymry yn amheus o'r rhai cyntaf am eu bod mor agos gysylltiedig â'r arglwyddi Normanaidd. Yr urdd a gafodd y croeso mwyaf yng Nghymru, ac a noddwyd yn helaeth gan y tywysogion, oedd y Sistersiaid, a gychwynnwyd yn Ffrainc yn 1098 ac a fu wedyn yn drwm dan ddylanwad duwiol Bernard o Clairvaux (1090–1153).

Tyndyrn yng Ngwent oedd mynachlog gyntaf y Sistersiaid (1131) — a bu'r lleoliad yn destun cerdd enwog iawn gan William Wordsworth ganrifoedd yn ddiweddarach. Mwy arwyddocaol o dipyn, fodd bynnag, oedd yr Hendy-gwyn ar Daf, sir Gaerfyrddin, yn 1140/51, gan fod nifer o fynachlogydd adnabyddus (o Aberconwy yn y gogledd i Lantarnam yn y de, ac o Ystrad-fflur yng Ngheredigion i rai agos at y ffin megis Cwm-hir a Glyn-y-groes) yn medru olrhain eu hachau yn ôl ati. Un o gyfraniadau pwysicaf Ystrad-fflur oedd cofnodi hanes cenedl y Cymry ar ffurf *Brut y Tywysogion*. Bu'r Sistersiaid yn gyfrifol hefyd am hybu datblygiadau economaidd, yn enwedig yn achos cadw defaid.

Cariad at Iesu Grist

Amdanat, Iesu, 'n fynych mae fy nghwyn;
Pa bryd y caf dy lon ymweliad mwyn?
Pa bryd y caf fi lawenhau'n dy wedd?
Pa bryd y caf fy llenwi oll â'th hedd?

Bernard o Clairvaux? (1090–1153)

Mynachlogydd
Cymru yn yr
Oesoedd Canol

❖ Sistersiaid

❖ Lleianod Sistersaidd

✚ Benedictiaid

✚ Canoniaid Awstinaidd

✚ Clywiniaid

◆ Ysbytywyr

✚ Premonstratensiaid

† Brodyr

Penmon

Rhuddlan

Llan-faes

Aberconwy

Dinas Basing

Bangor

Dinbych

Ysbyty Ifan

Glyn-y-groes

Cymer

Ystrad Marchell

Llanllugan

Llanbadarn

Cwm-hir

Ystrad-fflur

Aberteifi

Llanllŷr

Llandudoch

Llanddewi Nant Hodni

Talyllychau

Llanymddyfri

Aberhonddu

Llangiwa

Trefynwy

Y Fenni

Grace Dieu

Caerfyrddin

Hendy-gwyn

Tyndyrn

Hwlffordd

Brynbuga

Strigoil
(Cas-gwent)

Pill

Sanclêr

Slebets

Llantarnam

Llangynfarch

Penfro

Cydweli

Malpas

Castell-nedd

Basaleg

Allteuryn

Llangennydd

Casnewydd

Margam

Caerdydd

Ewenni

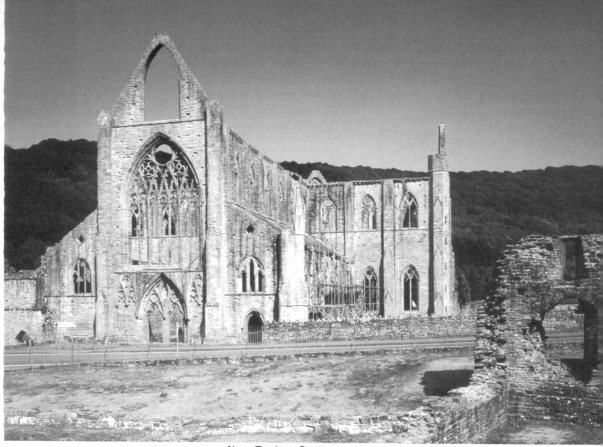

Abaty Tyndyrn, Gwent.

Ymhlith peryglon y bywyd mynachaidd, ar y llaw arall, roedd tuedd i gilio oddi wrth bobl eraill yn hytrach na mentro i'w mysg i gyhoeddi'r efengyl iddynt. Yn ymateb i'r gwendid hwn, yn ystod y drydedd ganrif ar ddeg cyrhaeddodd y Brodyr—y Ffransisiaid a'r Dominiciaid yn bennaf—a'u pwyslais ar bregethu y tu allan i'w mynachlogydd.

Ni wyddom fawr ddim am gynnwys eu pregethau, ond bu rhai ohonynt yn ddiwyd yn mynegi eu ffydd mewn ffyrdd eraill. Tua 1250, canodd Madog ap Gwallter, un o'r Ffransisiaid yn ôl pob tebyg, y garol Nadolig gyntaf yn Gymraeg, sef 'Mab a'n Rhodded'. Bu aelod anhysbys o'r Brodyr Dominicaidd yn gyfrifol am lunio *Ymborth yr Enaid*, dogfen grefyddol—eto o'r drydedd ganrif ar ddeg—sy'n cynnwys ysgrif o'r enw 'Pryd y Mab'. Disgrifiad grymus ond ffansïol iawn o Iesu Grist a geir yn yr ysgrif, mae'n rhaid dweud. Serch hynny, mae'n ein hatgoffa'n eglur mai perthynas fywiol â Mab Duw ei hun sydd yng nghanol Cristnogaeth.

Gwendid a gofid

Mae'n sicr i'r mudiad mynachaidd ddod ag elfen newydd i batrwm Cristnogaeth yng Nghymru, ond go brin iddo chwyldroi bywyd ysbrydol y genedl. Er bod i'r defodau a'r sefydliadau Cristnogol le amlwg yn y gymdeithas drwyddi draw, prin yw'r dystiolaeth am fwrlwm a rhuddin yn eu cylch. Soniwyd eisoes am newidiadau sylfaenol yn y ffordd yr oedd pobl yn deall union natur y ffydd, ac mae'n rhaid ychwanegu fod diffygion difrifol yng nghyflwr cyffredinol yr Eglwys hefyd yn boenus o eglur.

Yn fuan ar ôl marw Llywelyn ein Llyw Olaf yn 1282, er enghraifft, cynhaliodd Archesgob Pecham arolwg o'r Eglwys ledled Cymru a Lloegr. Nid oedd yn fodlon ar gyflwr lleygwyr yr ochr yma i Glawdd Offa yn gyffredinol, am eu bod yn byw eu bywydau i bob golwg yn annibynnol ar Dduw. Ond roedd yn llai hapus fyth yn achos y clerigwyr. Ymhlith y problemau amlycaf yn eu plith, yn ei farn ef, oedd meddwdod, cyd-fyw â gwragedd, ac anwybodaeth. Yn wir, cwynodd nad oedd erioed wedi gweld clerigwyr mor anllythrennog â rhai Cymru.

Os rhywbeth, aeth pethau o ddrwg i waeth yn ystod y ganrif wedyn. Erbyn amser Owain Glyn Dŵr (c.1354–c.1416) roedd Eglwys Cymru yn dlawd mewn mwy nag un ystyr, ac fe gynigiodd Glyn Dŵr bolisïau penodol yn llythyr enwog Pennal (1406) er mwyn ceisio gwella pethau:

- O hyn allan nid oedd Cymru i'w hystyried yn ddim ond rhan o dir at ddefnydd Lloegr. Yn hytrach, roedd Tyddewi i fod yn archesgobaeth annibynnol, gydag awdurdod dros Gymru gyfan.

- Roedd yr holl daliadau a threthi eglwysig a godid yng Nghymru i'w gwario, nid ar eglwysi na mynachlogydd na

---

Y garol gyntaf yn Gymraeg

. . . Yn Dduw, yn ddyn, a'r Duw yn ddyn, o'r un doniau,
Cawr mawr bychan, [Mab] cryf cadarn gwan, gwyn [Ei] ruddiau,
[Mab] cyfoethog tlawd, ein Tad a'n Brawd, awdur barnedigaethau:
Iesu yw hwn a dderbyniwn yn ben brenin . . .

Madog ap Gwallter, c.1250

Gwallter Brut

(yn ei anterth, 1390–1402)

O'r llun 'Gwawr y Diwygiad', gan W.F. Yeames RA. Dangosir John Wycliffe yn anfon allan ei 'bregethwyr tlawd' gyda chopïau o'i gyfieithiad o'r Beibl i'r Saesneg.

Ni wyddom fawr ddim am gefndir Gwallter Brut, ond mae'n ei ddisgrifio ei hun fel a ganlyn: 'peccator, laycus, agricola, cristianus, a Britonibus ex utraque parente originem habens'—'pechadur, lleygwr, ffermwr, cristion, yn hanu o'r Cymry drwy'i rieni ill dau'. Rywle ar hyd y ffin rhwng Cymru a Lloegr yr oedd ei gartref, mae'n debyg, ac mae'n amlwg iddo ymfalchïo yn ei Gymreictod.

Ond ei brif hynodrwydd oedd ei sêl dros egwyddorion John Wycliffe a'r Lolardiaid. Oherwydd hyn, bu'n rhaid iddo sefyll ei brawf o flaen Esgob Henffordd yn 1390–91. Dyma sut yr aeth ati i'w amddiffyn ei hun:

◆ Ymosododd ar y llygredd a oedd mor amlwg erbyn hyn yn Eglwys Rufain, megis chwant am arian ac anfoesoldeb rhywiol ymysg clerigwyr a mynachod.

◆ Cyfeiriodd at y Pab fel yr Anghrist a oedd yn elyn i wir grefydd.

◆ Cyhoeddodd mai trwy ffydd yng Nghrist, nid trwy weithredoedd da na defodau crefyddol, y mae pechadur yn cael ei gyfiawnhau gerbron Duw.

◆ Datganodd hefyd mai yn Iesu Grist a'r Beibl— nid yn y Pab na'r Eglwys—y mae'r awdurdod terfynol ym materion crefydd.

◆ Yn ben ar y cyfan, ymffrostiodd ei fod yn Gymro, gan ddadlau nad oedd yr hen Gymry'n ddyledus o gwbl i Eglwys Rufain am eu Cristnogaeth. Cydiodd yn hanes yr Eglwys Geltaidd er mwyn honni i well ffurf o Gristnogaeth flodeuo ym Mhrydain ymhell cyn i Eglwys Rufain gyrraedd. A'i obaith oedd y byddai dysgeidiaeth yr hen Gristnogaeth Geltaidd hon yn fodd i ddymchwelyd yr Anghrist Pabaidd.

Yn ddigon rhyfedd, er bod y syniadau hyn yn hollol groes i'r hyn roedd Eglwys Rufain yn sefyll drosto, ni chafodd ei gosbi'n llym gan yr esgob. Ni wyddom lawer am yr hyn a ddigwyddodd iddo wedyn, ond mae'n ddiddorol sylwi iddo fod yn gefnogwr brwd i Owain Glyn Dŵr adeg y gwrthryfel. Yn wir, mae lle i dybio iddo golli ei fywyd oherwydd ochri gyda Glyn Dŵr.

cholegau mewn mannau eraill, ond ar waith yr Eglwys o fewn ffiniau Cymru ei hun.

- Dim ond Cymro a gâi fod yn esgob neu'n glerigwr yng Nghymru. Dros gyfnodau hir, y duedd oedd i Saeson gael eu penodi i'r swyddi uchaf; ac am fod yr Eglwys yng Nghymru yn gymharol dlawd nid oedd yn talu iddynt dreulio gormod o amser nac egni yma.

- Er mwyn hyfforddi clerigwyr ar gyfer y dyfodol, dylid sefydlu dwy brifysgol yng Nghymru, y naill yn y gogledd a'r llall yn y de.

Codi llais

Ond roedd rhywbeth dyfnach o'i le yn ôl y bardd Siôn Cent (c. 1400–30/45), a oedd yn byw o bosibl yn sir Henffordd. Mae teitl ei gywydd enwocaf, *I Wagedd ac Oferedd y Byd*, yn awgrymu natur ei safbwynt yn glir. Llygredd ysbrydol a moesol a oedd i'w weld ym mhob man, gan gynnwys yr Eglwys. Dros dro yn unig yr oedd pethau gwerthfawr y byd hwn, ac roedd Dydd y Farn ar drothwy pawb. Mae'r bardd yn troi'n bregethwr, felly, gyda galwad ddwys i edifeirwch cyn iddi fynd yn rhy hwyr. Yn wir, yn ei farddoniaeth ceir awgrym i Siôn Cent ei hun brofi tröedigaeth ysbrydol ar ôl byw yn annuwiol yn ei ddyddiau ifainc.

Aethpwyd â neges y bardd ymhellach gan y Lolardiaid, sef dilynwyr John Wycliffe (c.1330–84), a hwythau'n weddol weithgar ar y ffin rhwng Cymru a Lloegr. Calon neges Wycliffe oedd mai'r Beibl yn hytrach na'r Pab yn Rhufain a oedd i lywio bywyd yr Eglwys. Yn sgil yr egwyddor hon mentrodd godi amheuon am werth mynachaeth, a gwneud hwyl am ben ofergoelion ynghylch yr offeren. Cydiwyd yn syniadau Wycliffe gan William Swinderby (yn ei anterth, 1382–92), y bu raid iddo ffoi am ei fywyd i fryniau Cymru, ac yna gan Gwallter Brut (yn ei anterth, 1390–1402), Cymro a fynegai syniadau hynod o Brotestannaidd bron can mlynedd cyn geni Martin Luther.

Ar drothwy'r unfed ganrif ar bymtheg roedd ambell arwydd fan hyn a fan draw o fwy o ddiddordeb a difrifoldeb ysbrydol. Roedd pethau allanol crefydd yn rhan bwysig o ffordd pobl o fyw, ac roedd mynd mawr ar y gwahanol

Ymwelydd dwyfol

'Arglwydd, daethost [i mewn] i'm bywyd!'
Llywarch ap Llywelyn,
'Prydydd y Moch' (c.1150–1220)

seremonïau Cristnogol. Serch hynny, roedd hefyd yn weddol amlwg fod rhywbeth mawr o'i le ar gyflwr Cristnogaeth ar y pryd:

- Yr elfen bwysicaf yn yr addoli oedd yr offeren, lle y coffawyd marw Iesu Grist ar ffurf bara a gwin. Ond ceir digon o dystiolaeth fod pob math o syniadau rhyfedd yn cael eu cysylltu ag ystyr ac effaith yr offeren. O ganlyniad, roedd pwyslais y Testament Newydd ar ffydd syml yn Iesu Grist yn dueddol o fynd i'r cysgod.

- Ychydig o fynachod a oedd i'w cael ym mynachlogydd Cymru, ac mae lle i ofni fod bywyd ysbrydol nifer o'r rhain yn weddol isel. Anfonwyd Robert Salusbury, abad Glyn-y-groes (Llangollen), i'r carchar yn 1535 am ei ran mewn lladradau pen-ffordd. Tua'r un adeg, cyhuddwyd mynach yn Ystrad-fflur o fathu arian drwg yn ei gell.

- Cynigid arian am gael swyddi bras yn yr Eglwys, a bu cryn fasnach hefyd mewn sicrhau swyddi o'r fath i blant neu aelodau eraill o'r teulu.

Rhwng popeth, go brin fod yr Oesoedd Canol yn gyfnod o lewyrch yn hanes Cristnogaeth yng Nghymru. Gallwn gydnabod yn rhwydd bob arwydd o fywyd ysbrydol, bob ymgais i anrhydeddu Iesu Grist mewn cerdd a chân ac adeilad a buchedd. Gallwn hefyd groesawu'r modd yr oedd Cristnogaeth—mewn enw o leiaf—yn cyffwrdd â llawer rhan o fywyd. Ond roedd y dystiolaeth Gristnogol ymhell o fod yn eglur bob amser. Ceid tuedd frawychus i ychwanegu defodau a choelion at symlrwydd neges y Testament Newydd am ras Duw yn Iesu Grist. Roedd ffydd yn fater o arfer a hyd yn oed o ofergoel yn hytrach nag o sylwedd beiblaidd. Y canlyniad anochel oedd tywyllu cyngor am union natur y ffydd Gristnogol.

Roedd Cristnogaeth wedi para am bymtheg can mlynedd, ond nid oedd yr argoelion yn arbennig o addawol erbyn 1500. Ond cyn hir fe ddeuai newidiadau . . .

Y Gwaredwr Galluog

Y pennaf Tywysog, pan aned Di
Daeth trugaredd inni, daeth gwaredigaeth,
Daeth plant Adda allan o barth anghrediniaeth,
O droseddu maith, o gaethiwed . . .
Cynddelw Brydydd Mawr (yn ei anterth, 1155–1200)

3—Newidiadau

Ceir arwyddion yn hanes rhai fel Siôn Cent a Gwallter Brut fod peth anfodlonrwydd ar sefyllfa grefyddol Cymru wrth i'r Oesoedd Canol dynnu i'w terfyn. A oedd pobl Cymru, felly, yn ysu am groesawu â breichiau agored syniadau Martin Luther a'r Diwygiad Protestannaidd? Byddai honni hynny ymhell iawn o'r gwir. Hoeliodd Luther ei ddadleuon ar ddrws Eglwys y Castell yn Wittenberg yn 1517, ond nid oedd gan y rhan fwyaf o'r Cymry fawr o ddiddordeb ynddynt am flynyddoedd wedyn. Mae tri rheswm amlwg am y diffyg ymateb hwn:

- Roedd Cymru'n bell iawn o fwrlwm y Diwygiad, ar y Cyfandir i ddechrau ac wedyn yn Llundain a de-ddwyrain Lloegr.

- Roedd Cymru'n wledig iawn, heb ganolfannau poblog na phrifysgol na fawr o ddosbarth canol. Yn y trefi mawrion yn Lloegr, ymhlith y bobl broffesiynol a'r crefftwyr, y cafodd y Diwygiad gefnogaeth frwd ar y cychwyn.

- Roedd gan Gymru iaith arall: rhaid oedd cyfieithu'r syniadau newydd i'r Gymraeg os am gyrraedd trwch y boblogaeth.

Luther yn hoelio ei ddadleuon ar ddrws Eglwys y Castell yn Wittenberg, 1517.

CIP AR Y CYFNOD *Newidiadau*

Y Ffydd yng Nghymru	Hanes a Llên Cymru	Yr Eglwys Ehangach	Y Byd yn Gyfan
			Y 15fed ganrif Y Dadeni Dysg yn cychwyn
			Leonardo da Vinci, 1452-1519
Richard Davies, 1501?-81		Desiderius Erasmus, 1469-1536	
			Copernicus, 1473-1543
			Michelangelo, 1475-1564
		Martin Luther, 1483-1546	
		Ulrich Zwingli, 1484-1531	
		John Calvin, 1509-64	
		John Knox, c.1513-72	
		1517 Martin Luther yn herio Eglwys Rufain	
			1519 Magellan yn dechrau hwylio o gwmpas y byd
		Dechrau'r 1520au Cychwyn yr Ailfedyddwyr	
			1520au-30au Diwedd ymerodraethau'r Asteciaid a'r Incas

William Salesbury, c.1520-1584?			
	1523 Eisteddfod Caerwys		
		1525 Y Testament Newydd yn Saesneg (Tyndale)	
		1534 Harri VIII yn ymwrthod ag awdurdod y Pab	
	1534 Penodi Rowland Lee yn Llywydd Cyngor y Gororau	**1534** Sefydlu'r Iesuwyr (Loyola)	
		1535 Y Beibl yn Saesneg (Coverdale)	
1536-40 Diddymu'r mynachlogydd	**1536, 1543** Deddfau Uno Cymru a Lloegr		
1542 Merthyru Thomas Capper			
Edmwnd Prys, 1543/4-1623			
William Morgan, 1545-1604			
1546 *Yn y lhyvyr hwnn* (y llyfr cyntaf i'w argraffu yn Gymraeg)		**1545-63** Cyngor Trent (Eglwys Rufain)	
1555 Merthyru'r Esgob Robert Ferrar (adeg Mari)		**1549** Y Llyfr Gweddi Gyffredin cyntaf	
1567 Y Testament Newydd yn Gymraeg		**1563** *Book of Martyrs* (John Foxe)	Galileo, 1564-1642
1567 Y Llyfr Gweddi Gyffredin yn Gymraeg			Shakespeare, 1564-1616
	1571 Sefydlu Coleg yr Iesu, Rhydychen	**1571** Y Deugain Erthygl Namyn Un	
	1584 *Historie of Cambria* (David Powel)		
1588 Y Beibl yn Gymraeg			**1588** Chwalu Armada Sbaen

Harri VIII

Yn 1534, fodd bynnag, bu chwyldro: ymwrthododd Harri VIII ag awdurdod y Pab yn gyfan gwbl. Fel y gwyddom, rhesymau gwleidyddol a hunanol a fu'n bennaf gyfrifol am y penderfyniad hwn, yn hytrach na chymhellion crefyddol go iawn. Ond o ganlyniad i'w benderfyniad torrodd ei deyrnas, gan gynnwys Cymru, bob cysylltiad ffurfiol ag Eglwys Rufain.

A fu protest yng Nghymru yn erbyn newidiadau Harri? Ychydig iawn, iawn. Onid oedd y Tuduriaid yn Gymry (o fath)? Yn bwysicach, nid oedd digon o argyhoeddiad crefyddol gan y werin i boeni rhyw lawer y naill ffordd na'r llall. Bu rhywfaint o anniddigrwydd o weld chwalu'r cysegrfannau a difa'r mynachlogydd, ond ni fu gwrthwynebiad o bwys mawr. Ofnai'r uchelwyr, sef arweinwyr naturiol y gymdeithas, godi llais yn erbyn y brenin. Ond ar ben hynny, roedd y newidiadau o fantais iddynt: cydient yn nhiroedd y mynachlogydd er mwyn ehangu eu hystadau'n sylweddol. Doedd dim rhyfedd iddynt ddilyn eu brenin a throi'n Brotestaniaid.

Protestaniaid cynnar

Hynny yw, troesant yn Brotestaniaid mewn enw. Yn ymarferol, stori arall oedd hi, gyda'r hen arferion Pabyddol yn parhau yn eu dylanwad am flynyddoedd lawer wedyn. Ond o dipyn i beth, daeth ambell Brotestant o argyhoeddiad i'r golwg yng Nghymru:

- Un amlwg oedd William Barlow (1499–1568), Esgob Tyddewi ym mlynyddoedd olaf Harri VIII. Rhoddodd ben ar bererindodau ac addoli hen greiriau a oedd, yn ôl yr honiad, yn gysylltiedig â'r seintiau.

- Mwy arwyddocaol o lawer oedd William Salesbury (c.1520–84?) o Lansannan, sir Ddinbych. Ar lawer cyfrif, Salesbury oedd Cymro mwyaf disglair ei oes, ac mae iddo le pwysig iawn yn hanes iaith a llenyddiaeth Cymru. Gwelai arwyddocâd a phosibiliadau'r wasg argraffu, a chyhoeddodd doreth o lyfrau ar bynciau amrywiol. Ond, ac yntau'n Brotestant o argyhoeddiad, roedd ganddo hefyd weledigaeth arbennig, sef cael y Beibl yn iaith pobl Cymru. Er y clod priodol a roddir i William Morgan (1545–1604)

Y Gair a'r iaith

'Mynnwch yr ysgrythur lân yn eich iaith.'

William Salesbury

Harri VIII a Thomas Cranmer

am gyfieithu'r Beibl, i William Salesbury y mae'r diolch am dynnu sylw at yr angen amdano ac am gyflawni gwaith arloesol o safon uchel wrth geisio cwrdd â'r angen hwnnw.

- Un llai amlwg — yn wir, does fawr ddim gwybodaeth amdano — oedd Thomas Capper, a ferthyrwyd yng Nghaerdydd yn 1542, a Harri VIII yn dal i deyrnasu. Trosedd Capper, yn ôl pob tebyg, oedd gwadu dysgeidiaeth draddodiadol Eglwys Rufain mai gwir gorff a gwaed Iesu Grist oedd y bara a'r gwin yng ngwasanaeth y cymun.

Dengys marwolaeth Thomas Capper nad oedd Harri VIII yn fawr o Brotestant mewn gwirionedd. Cyfleustra oedd Protestaniaeth iddo; yn reddfol, glynai wrth hanfodion yr hen ffydd Babyddol.

Plant Harri

Tra gwahanol oedd mab Harri. Roedd Edward VI (teyrnasu 1547–53) yn Brotestant o argyhoeddiad, a hybwyd y ffydd Brotestannaidd yn egnïol am yr ychydig flynyddoedd y bu ar yr orsedd. Yna daeth newid arall, gan fod ei hanner chwaer Mari (teyrnasu 1553–58) yn Babyddes yr un mor frwd. Adferwyd Pabyddiaeth, a bu Protestaniaid dan gwmwl.

Tra oedd Mari'n Frenhines, cafwyd tri merthyr arall yng Nghymru: Robert Ferrar (Esgob Tyddewi), Rawlins White (pysgotwr o Gaerdydd), a William Nichol (o Hwlffordd). Dihangodd eraill i'r Cyfandir, lle daethant i gysylltiad ag arweinwyr amlycaf y Diwygiad Protestannaidd. Ond at ei gilydd, roedd pobl Cymru yn ddigon pleidiol i'r dychwelyd at Eglwys Rufain. Nid oedd gwir Brotestaniaeth wedi cael dyfnder daear yng Nghymru, a bu rhai o'r beirdd yn arbennig o chwyrn yn erbyn y newidiadau dan Edward VI. Roedd y rhan fwyaf o'r bobl yn fwy cartrefol o lawer gyda'r hen grefydd hamddenol roedd eu cyndadau wedi arfer â hi.

Er mawr ryddhad i'r Protestaniaid brwd, digon byr oedd teyrnasiad Mari hithau. Yn ei lle daeth ei hanner chwaer, Elisabeth (teyrnasu 1558–1603). Ceir dadlau o hyd am union natur ei daliadau crefyddol, ond mae'n eglur mai ei bwriad oedd creu gwlad Brotestannaidd, a hithau'n dal awenau'r Eglwys, 'Eglwys Loegr' (gan gynnwys Cymru), yn ei llaw ei

Y Cristion a'r Beibl

'Fy arglwydd, Cristion wyf fi, trwy ddaioni Duw; ac nid wyf yn dal dim *opiniynau* croes i air Duw: Ac os wyf, fy nymuniad yw cael fy niwygio trwy air Duw, fel y gweddai i Gristion gael.'

Amddiffyniad Rawlins White gerbron Esgob Llandaf.

Themâu Sylfaenol Protestaniaeth

Roedd gan y Diwygwyr Protestannaidd bedair egwyddor sylfaenol:

◆ **Sola Scriptura**—Trwy'r Ysgrythurau yn unig. Nid yr Eglwys, na'r Pab, na thraddodiadau'r gorffennol, oedd i'w harwain o ran beth roeddynt i'w gredu a sut roeddynt i fyw: eu hawdurdod oedd Gair Duw yn unig. Dyna pam yr aeth Luther ati mor frwd i gyfieithu'r Beibl i'r Almaeneg.

◆ **Sola fide**—Trwy ffydd yn unig. Nid trwy fyw yn dda, nid chwaith trwy fedydd na chadw gwahanol ddefodau Eglwys Rufain yn fanwl, yr oedd modd bod yn gadwedig, ond trwy ffydd yn Iesu Grist yn unig. Cael gafael ar ystyr Rhufeiniaid 1:17 ('Y cyfiawn a fydd byw trwy ffydd') a lwyr newidiodd fywyd Luther.

◆ **Sola gratia**—Trwy ras yn unig. Un o lyfrau pwysicaf Luther oedd *Caethiwed yr Ewyllys*, lle mae'n dadlau fod pawb yn gaeth i bechod ac oherwydd hynny'n methu dod yn rhydd ohonynt eu hunain. Yr unig obaith, felly, yw gras Duw—yn trugarhau, yn gwaredu, yn cynnal. Yr hyn a wnaeth y Diwygwyr oedd ailddarganfod hen neges Paul ac Awstin Sant.

◆ **Soli Deo Gloria**—I Dduw yn unig y byddo'r gogoniant. Credai'r Diwygwyr fod Duw wedi dod yn agos atynt a thywallt ei ras arnynt. Eu hawydd mawr, felly, oedd gogoneddu a gwasanaethu'r Duw grasol hwn ym mhob rhan o'u bywyd. Yng ngeiriau John Calvin, 'Nid ydym yn eiddo i ni ein hunain . . . rydym yn eiddo i Dduw. Iddo ef, felly, gadewch i ni fyw a marw.'

Cofgolofn i gyfieithwyr y Beibl Cymraeg, yn Llanelwy, sir Ddinbych

hun. Hi oedd 'llywodraethwr pennaf' yr Eglwys, ac roedd yn rhaid i holl aelodau ei theyrnas ddilyn y patrwm o addoli a osodwyd i lawr yn y Llyfr Gweddi Gyffredin. Byddai unrhyw un a oedd yn meiddio ymwrthod â'r trefniant hwn yn cael ei gosbi.

Digon hawdd, wrth gwrs, oedd datgan fod ei theyrnas yn un Brotestannaidd. A bod yn ymarferol, sut y gallai Elisabeth obeithio cyflwyno Protestaniaeth yn fwy effeithiol i bob rhan o'i theyrnas, gan gynnwys Cymru? Un a fu'n gymorth iddi yn hyn o beth oedd Richard Davies (1501?–81), Esgob Tyddewi. Yn *Epistol at y Cembru* (sef ei ragair i'r Testament Newydd Cymraeg a gyhoeddwyd yn 1567), dadleuodd nad oedd y ffydd 'newydd' ond yn ailgydio ym mhethau gorau'r Eglwys Geltaidd, cyn i honno gael ei llygru gan Eglwys Rufain. Bu'r ddadl hon yn ddigon dylanwadol ar y pryd – er nad oedd gormod o sail iddi, mae'n rhaid dweud.

Y Beibl Cymraeg

Cam pwysicach fyth oedd sicrhau fod pobl yn gyfarwydd â'r Beibl drostynt eu hunain. Ym marn y Protestaniaid, byddai'r Beibl ei hun yn arwain y Cymry i wir ffydd yn Iesu Grist, gan beri iddynt gefnu ar eu harferion Pabyddol. Roedd y llywodraeth o blaid y cynllun hwn, ond am resymau mwy gwleidyddol: y gobaith oedd y byddai neges y Beibl yn cysylltu'r bobl yn agosach â theyrnas Brotestannaidd Elisabeth. Yn wir, credai'r awdurdodau y byddai'r ffaith fod pobl yn clywed y Beibl yn Gymraeg yn gymorth iddynt ddysgu Saesneg maes o law.

Lladin oedd iaith y Beibl yng Nghymru, wrth gwrs, megis yng ngweddill gorllewin Ewrop, yn ystod yr Oesoedd Canol. Gwnaed ymdrech o bryd i'w gilydd i drosi darnau o'r Ysgrythur i'r Gymraeg: fe'u ceir mewn dogfennau megis *Y Groglith* (o'r drydedd ganrif ar ddeg, efallai), *Y Bibyl Ynghymraec* a'r *Seint Greal* (o'r bedwaredd ganrif ar ddeg ill dwy), *Llyfr Ancr Llanddewibrefi* (1346), a *Gwasanaeth Meir* (c.1400). Ond nid oedd y rhain o fewn gafael y rhan fwyaf o'r Cymry. Os cyrraedd y bobl oedd y nod, beth bynnag am y cymhelliad, roedd yn rhaid wrth gyfieithiad newydd, ffres.

Roedd gan William Tyndale (c.1494–1536), y cyntaf i gyfieithu'r Testament Newydd a rhannau o'r Hen Destament

Tudalen deitl Testament Newydd William Salesbury, 1567

i'r Saesneg o'r Groeg a'r Hebraeg gwreiddiol (ac a ferthyrwyd o'r herwydd), rai cysylltiadau â Chymru. Yn ôl llyfr enwog John Foxe, *Acts and Monuments . . .* (neu'r *'Book of Martyrs'*), 'fe'i ganwyd yn agos i derfynau Cymru'. Er mai Stinchcombe, rhwng Caerloyw a Bryste, oedd ei fan geni yn ôl pob tebyg, nid oedd yn anghyfarwydd â'r Gymraeg. Yn bwysicach o dipyn, roedd ei gyfieithiad Saesneg i fod yn un o'r ffynonellau a ddefnyddiwyd wrth baratoi'r Testament Newydd ac, yn y pen draw, y Beibl yn Gymraeg.

Cyhoeddwyd y Testament Newydd yn Gymraeg yn 1567, yn bennaf drwy waith William Salesbury, gyda chymorth yr Esgob Richard Davies a Thomas Huet (m.1591). Ar lawer cyfrif roedd y cyfieithiad yn gampus, ond mae'n rhaid dweud nad oedd yn llwyddiant ysgubol. Roedd gan Salesbury syniadau gweddol bendant ynghylch natur iaith, ac yn anffodus roedd y rhan fwyaf o'r Cymry yn methu â deall y ffurfiau Lladinaidd neu'r hen eirfa a ddefnyddiai yn lle geiriau Cymraeg cyffredin.

Ond yna, yn 1588, cyhoeddwyd y Beibl cyfan yn Gymraeg. Gwaith gorchestol William Morgan oedd hwn, er yn seiliedig i raddau ar ymgais arloesol Salesbury, ac mae ei ddylanwad ar iaith a llenyddiaeth Cymru wedi bod yn hynod o bell-gyrhaeddol. Mae'n wir nad oedd llawer o effaith amlwg ar y pryd: nid oedd y Beibl i'w werthu ond i'w gadw ar gadwyn ym mhob eglwys, ac roedd llawer o'r Cymry yn methu â darllen beth bynnag. Ond amhosibl mesur y canlyniadau tymor-hir o gael y Beibl yn Gymraeg.

Y Gair ar led

Roedd Protestaniaeth yn rhoi pwyslais mawr ar neges y Beibl. Ffordd arall o gyflwyno syniadau Protestannaidd, felly, oedd defnyddio rhannau o'r Beibl yn oedfaon yr eglwysi ac mewn mannau eraill:

- Yn 1546 cyhoeddwyd *Yn y lhyvyr hwnn*, y llyfr cyntaf erioed i'w argraffu yn Gymraeg, gan Syr John Price (1502?–55), Aberhonddu, er mwyn cyflwyno Credo'r Apostolion, Gweddi'r Arglwydd, a'r Deg Gorchymyn.

William Morgan (1545–1604)

Ym marn llawer ysgolhaig, does neb wedi cael cymaint o ddylanwad ar fywyd Cymru â William Morgan, cyfieithydd enwog y Beibl i'r Gymraeg.

Fe'i ganed yn Nhŷ-mawr, Wybrnant, Penmachno, Gwynedd, ei addysgu yng Nghaergrawnt, ac yn 1578 ei benodi'n ficer Llanrhaeadr-ym-Mochnant, ar y ffin rhwng siroedd Dinbych a Maldwyn. Yno, mewn plwyf lled ddiarffordd, yn bell o lyfrgelloedd a chwmni ysgolheigion, yng nghanol trafferthion gyda rhai o'i blwyfolion, ac er gwaethaf pob digalondid, cyflawnodd y gwaith campus o gyfieithu'r Beibl a gyhoeddwyd yn 1588. Yn 1595 aeth yn Esgob Llandaf, ac yn 1601 yn Esgob Llanelwy. Tu allan i Eglwys Gadeiriol Llanelwy saif cofeb iddo ef a'r Cymry eraill a fu wrthi gyda'r gwaith cyfieithu.

Mae tri pheth amlwg yn nodweddu William Morgan fel cyfieithydd:

▸ Yn gyntaf, roedd yn feistr ar yr ieithoedd Hebraeg a Groeg; o ganlyniad, mae ei gyfieithiad yn hynod o gywir.

▸ Yn ail, roedd hefyd yn feistr ar yr iaith Gymraeg; o ganlyniad, mae ei gyfieithiad yn hynod o ddarllenadwy.

▸ Yn drydydd, diwygiodd y pethau hynny yn Nhestament Newydd William Salesbury a oedd wedi profi'n gymaint tramgwydd i bobl; o ganlyniad, mae ei gyfieithiad yn hynod o eglur.

Ond dyhead mwyaf William Morgan oedd cyhoeddi nid cyfrol a fyddai'n cael ei chanmol a'i hedmygu, ond yn hytrach un a fyddai'n cyflwyno Gair Duw yn gywir ac yn glir i'w gyd-Gymry yn eu tywyllwch ysbrydol. A dyfynnu'r bardd Owain Gwynedd (c.1545–1601), 'Achub enaid . . . oedd chwant hwn.'

A gwyddai'n iawn mai dim ond efengyl Iesu Grist, fel y'i heglurir yn y Beibl, a fedrai wneud hyn. Ar dudalen deitl Beibl 1588 gosododd adnod sy'n crynhoi'r hyn a fu'n sail i waith mawr ei fywyd: ' . . . yr Ysgrythur lân, yr hon sydd abl i'th wneuthur yn ddoeth i iechydwriaeth, trwy'r ffydd yr hon sydd yng Nghrist Iesu' (2 Timotheus 3:15).

Yr Esgob William Morgan.
Peintiad D Salesbury Hughes 1910

Y BEIBL CYS-SEGR-LAN. SEF YR HEN DESTA-MENT, A'R NEWYDD.

2. *Timoth.* 3. 14, 15.

Eithr aros di yn y pethau a ddyſcaiſt, ac a ymddyried-
wyd i ti, gan wybod gan bwy y dyſcaiſt.
Ac i ti er yn fachgen wybod yr ſcrythur lân, yr hon
ſydd abl i'th wneuthur yn ddoeth i iechydwria-
eth, trwy'r ffydd yr hon ſydd yng-Hriſt Ieſu.

Imprinted at London by the Deputies of
CHRISTOPHER BARKER,
Printer to the Queenes moſt excel-
lent Maieſtie.

1588.

Tudalen deitl Beibl William Morgan, 1588

Dylanwad y Beibl

Er ei gyhoeddi yn 1588, mae'r Beibl Cymraeg wedi bod yn gyfrwng i lunio agweddau pwysig ar fywyd y genedl. Nodwn rai o'r meysydd lle y gwelir ei ddylanwad yn fwyaf eglur:

◆ Yn gyntaf, bu'n gymorth i sicrhau parhad yr iaith Gymraeg. Y perygl mawr oedd i'r Gymraeg ddirywio'n glytwaith o dafodieithoedd, ac yna, yn ara' deg, ddiflannu'n llwyr. Un o'r pethau a gadwodd y Gymraeg yn fyw, drwy gynnig iaith gywir ac urddasol a oedd yn ddealladwy ac yn ddarllenadwy o Fôn i Fynwy, oedd y Beibl. Wrth iddo gael ei ddarllen yn yr eglwysi Sul ar ôl Sul, ac wedyn ddod yn sail i gynifer o lyfrau eraill a gyhoeddwyd dros y canrifoedd canlynol, ni allai ond helpu i gadw'r iaith yn fyw.

Tŷ-mawr, Wybrnant, Penmachno, sir Gaernarfon

◆ Yn ail, bu'n ddylanwad aruthrol ar lenyddiaeth Gymraeg. Gweithiau crefyddol a moesol oedd y rhan fwyaf o'r llyfrau a gyhoeddwyd yn Gymraeg am dri chan mlynedd a rhagor ar ôl ymddangosiad y Beibl, a'r rhain i gyd yn ddyledus iawn i'r Ysgrythur am eu patrymau ieithyddol, am eu delweddau a'u darluniau. Nid yw'n bosibl deall gwaith mawrion llenyddiaeth Gymraeg megis Morgan Llwyd, Ellis Wynne, Goronwy Owen, Williams Pantycelyn, Ann Griffiths, Daniel Owen, Saunders Lewis, a Gwenallt heb ystyried dylanwad helaeth y Beibl Cymraeg arnynt. Mae'r un peth yn wir am lenorion a beirdd cyfoes megis Bobi Jones, Alan Llwyd, a Gwyn Thomas, ac am lawer o lenorion Eingl-Gymreig gan gynnwys Emyr Humphreys, R. S. Thomas, a hyd yn oed Dylan Thomas i ryw raddau.

◆ Yn drydydd, bu'n ffactor grymus yn ymwybyddiaeth genedlaethol y Cymry. Oherwydd agosrwydd Cymru at Loegr a Llundain, mae'n anodd gweld sut y byddai Cymru wedi medru cadw ei harwahanrwydd cenedlaethol yn fyw am hir yn y byd modern. Llwyddodd yr Alban ac Iwerddon am eu bod gymaint pellach o ganolbwynt y grym Seisnig. Yng Nghymru, ffactor allweddol oedd yr ymwybyddiaeth o ddiwylliant gwahanol, wedi ei borthi a'i gyfoethogi gan iaith a llenyddiaeth a oedd yn seiliedig i raddau helaeth ar y Beibl Cymraeg. Cadarnhawyd y gwahaniaeth gan adfywiadau crefyddol 1735–1860, a fu'n fodd i atgyfnerthu gafael y Beibl ar y Cymry.

◆ Yn olaf, bu neges y Beibl yn her, yn gysur, yn arweiniad, yn rhybudd, ac yn anogaeth i genedlaethau lawer o bobl yng Nghymru. Rhoddai bwyslais arbennig ar anghenion yr enaid ac iachawdwriaeth yng Nghrist, ond cynigiai hefyd gyngor a chynhaliaeth ar gyfer pob agwedd ar fywyd beunyddiol. Anodd gorbwysleisio effaith geiriau'r Beibl ar feddwl, profiad, ac ymddygiad y Cymry ar hyd y canrifoedd.

Rhan o Salm 29

Yr Arglwydd gynt yn bennaeth oedd
  Ar y llif-ddyfroedd cethin:
Yr Arglwydd fu, ef eto fydd,
  A byth a fydd, yn Frenin.

Edmwnd Prys

Pistyll Rhaeadr, ger Llanrhaeadr-ym-Mochnant lle y bu William Morgan wrthi'n cyfieithu'r Beibl i'r Gymraeg

Datganodd mai bwriad y llyfr oedd cwrdd â'r angen yn y wlad oherwydd methiant alaethus y clerigwyr i ddysgu hyd yn oed wirioneddau sylfaenol Cristnogaeth yn effeithiol.

- Yn 1551 cyhoeddodd William Salesbury *Kynniver Llith a Ban*, sef ei gyfieithiad o'r darnau hynny o'r Efengylau a'r Epistolau a geid yn y Llyfr Gweddi Gyffredin Saesneg, ac a ddarllenid yn yr eglwysi adeg y cymun.

- Yna, yn 1567, bu Salesbury yn gyfrifol am ymddangosiad y Llyfr Gweddi cyfan yn Gymraeg. Ymddangosodd fersiwn diwygiedig, yn ôl pob tebyg gan William Morgan, yn 1599.

- Yn 1621 cyhoeddwyd fersiwn newydd o'r Llyfr Gweddi, gyda Salmau Cân Edmwnd Prys (1543/4–1623), Archddiacon Meirionnydd, yn rhan o'r gyfrol. Y Salmau hyn, wedi eu gosod ar fydr er mwyn eu canu, oedd unig lyfr emynau Cymru tan y ddeunawfed ganrif. Ailargraffwyd y casgliad o leiaf 107 o weithiau, a chydnabyddir yn gyffredinol gamp Edmwnd Prys wrth gyfleu ystyr ac ysbryd y Salmau gwreiddiol mewn iaith rymus.

Cyhoeddwyd hefyd gyfrolau o homilïau, gan gychwyn yn 1547, ac ymddangosodd fersiwn Cymraeg yn 1606. Eu bwriad oedd lledu Protestaniaeth drwy ddarparu pregethau parod y gellid eu darllen yn uchel yn yr eglwysi. Nid oedd pawb yn croesawu'r dull hwn: tueddai i wneud pregethwyr yn ddiog, ac ystyrid bod darllen pregeth yn llawer llai effeithiol na'i phregethu. Ond oherwydd diffyg pregethwyr yn gyffredinol, gallai cymorth o'r fath fod yn ddigon gwerthfawr.

Cyffes

'Hollalluog Dduw a thrugarocaf Dad;

Nyni a aethom ar gyfeiliorn allan o'th ffyrdd di fel defaid ar gyfrgoll. Nyni a ddilynasom ormod ar amcanion a chwantau ein calonnau ein hunain. Nyni a wnaethom yn erbyn dy sancteiddiol gyfreithiau. Nyni a adawsom heb wneuthur y pethau a ddylasem eu gwneuthur; Ac a wnaethom y pethau ni ddylasem eu gwneuthur; Ac nid oes iechyd ynom . . .'

Y Llyfr Gweddi Gyffredin

Camp William Morgan

'Dwyn gras Duw i bob dyn a gred,
Dwyn geiriau Duw'n agored.'

Siôn Tudur (c.1522–1602)

Cymru Brotestannaidd?

Cyfnod o newidiadau pell-gyrhaeddol oedd yr unfed ganrif ar bymtheg yng Nghymru. Cafwyd newidiadau gwleidyddol, gyda Deddfau Uno 1536 a 1543 yn clymu Cymru wrth Loegr mewn un deyrnas dan awdurdod sofran Harri VIII. Cafwyd newidiadau cymdeithasol, wrth i uchelwyr Cymru gael eu denu mwyfwy i borfeydd brasach yn Lloegr. A chafwyd newidiadau crefyddol chwyldroadol hefyd—mewn enw, o leiaf, er i wir Brotestaniaeth ysbrydol gymryd amser go hir i gael gwreiddyn yng Nghymru.

Serch hynny, o dipyn i beth llwyddodd y Protestaniaid yn eu hymdrechion i berswadio'r bobl nad crefydd newydd mo Brotestaniaeth. Os oedd yr hen Gristnogion Celtaidd yn credu'n daer fod gan Dduw bwrpas arbennig wrth gadw'r Cymry a'u hiaith yn fyw, onid y pwrpas hwnnw oedd i grefydd gywir gael ei hadfer i Gymru drwy gyfrwng y Diwygiad Protestannaidd? Dyna ddadl yr Esgob Richard Davies: roedd Protestaniaeth yn adfer urddas ysbrydol i genedl y Cymry.

Ar lawer cyfrif roedd Richard Davies yn llygad ei le. Roedd Protestaniaeth wedi gosod y Beibl, a hwnnw bellach yn iaith y bobl, yn ôl yng nghanol y ffydd. Yng ngoleuni'r Beibl, deuai'r gwirioneddau am ogoniant a hawliau a gras Duw, am yr iachawdwriaeth a sicrhawyd trwy farwolaeth ddirprwyol Iesu Grist ar y groes, am gyflwr ac angen a dyfodol dynolryw, yn llachar o eglur. Roedd y gwirioneddau hyn yn bodoli—ac yn cael eu credu—yn ystod yr Oesoedd Canol, ond tu ôl i ryw fath o gwmwl. Erbyn hyn, symudwyd y cwmwl, ac ni fedrai Richard Davies guddio ei lawenydd:

Eithr yn bendifaddau mawr fu ei drugaredd yn ein hamser ni o fewn y trigain mlynedd hyn . . . y mae holl deyrnasoedd Cred o fewn Ewrop eisoes wedi agoryd eu llygaid, ac yn craffu i ble y dygwyd hwynt, a phle y buont gynt, ac yn gweld eu dyfod adref, a chael yr hen ffordd, a dychwelyd i'r iawn, sef gwir grefydd Grist, a'r ffydd gatholig [h.y., cyffredinol—nid oedd Richard Davies yn cyfeirio at Eglwys Rufain] sydd â'i wreiddyn yng ngair Duw ac Efengyl Crist.

4—Tensiynau

Llun dychmygol o Armada Sbaen

A oedd pawb mor llawen â Richard Davies? Go brin. Roedd rhai'n dal i lynu wrth Eglwys Rufain, ac yn gorfod addoli'n gyfrinachol rhag cael eu cosbi gan yr awdurdodau. Cafodd dau Babydd eu merthyru yng Nghymru—Richard Gwyn yn Wrecsam yn 1584, a William Davies ym Miwmares yn 1593—a rhai Pabyddion o Gymry (megis John Roberts o Drawsfynydd yn 1610) yn colli eu bywydau yn Lloegr. Bu Morys Clynnog (c.1525–81) a Gruffydd Robert (c.1522–c.1610) ymhlith y rhai a ymdrechai'n galed ar y Cyfandir i sicrhau cefnogaeth ddigonol er mwyn ennill Cymru'n ôl at Eglwys Rufain.

Ond roedd yn anodd i Babyddion Cymru lynu'n gyson wrth eu daliadau, gan fod Elisabeth mor amlwg awyddus i weld Protestaniaeth yn cario'r dydd. Mantais ym mhob ffordd, felly, oedd bod yn rhyw fath o Brotestant. Yn wir, gan fod gwlad Babyddol megis Sbaen hefyd yn elyn cyson i wledydd Prydain, roedd bod yn Babydd bron yr un peth â bod yn fradwr—yn enwedig o gofio bygythiadau difrifol megis Armada Sbaen yn 1588.

Piwritaniaeth

Ar y llaw arall, roedd rhai Protestaniaid brwd hefyd yn anfodlon ar y trefniadau crefyddol dan Elisabeth. Er iddynt groesawu'r newidiadau a ddaeth yn sgil Protestaniaeth 'wleidyddol'—y math o Brotestaniaeth a apeliai at Harri VIII ac yn ôl pob tebyg at Elisabeth ei ferch—nid oedd y newidiadau hyn yn mynd yn ddigon pell yn eu tyb hwy.

CIP AR Y CYFNOD   *Tensiynau*

Y Ffydd yng Nghymru	Hanes a Llên Cymru	Yr Eglwys Ehangach	Y Byd yn Gyfan
Rhys Prichard, 1579-1644			
1593 Dienyddio John Penry			
Oliver Thomas, c.1598-1652			Descartes, 1596-1650
Walter Cradoc, 1610?-59		**1611** Beibl Saesneg (Cyfieithiad Awdurdodedig)	**1606** Ewropeaid yn darganfod Awstralia
			Rembrandt, 1606-69
Vavasor Powell, 1617-70	**1617-32** Ceisio sefydlu gwladfa Gymreig yn Newfoundland	John Owen, 1616-83	**1618-48** Rhyfel Deng Mlynedd ar Hugain yn Ewrop
Morgan Llwyd, 1619-59			
1620 Fersiwn diwygiedig o'r Beibl Cymraeg		**1620** Y 'Tadau Pererin' yn cychwyn am America	
1621 *Salmau Cân* (Edmwnd Prys) Stephen Hughes, 1622-88	**1621** Cyhoeddi Gramadeg Cymraeg (John Davies)		
		Blaise Pascal, 1623-62	
Charles Edwards, 1628-91		George Fox, 1624-91	
1630 Y Beibl Bach	**1632** Cyhoeddi Geiriadur Cymraeg-Lladin (John Davies)		
1639 Yr eglwys gynnull gyntaf, yn Llanfaches (William Wroth)			
1648-60 Piwritaniaeth yn ei anterth	**1648** Brwydr Sain Ffagan (Rhyfel Cartref)		**1642-48** Rhyfeloedd Cartref rhwng Charles I a'r Senedd
1649 Eglwys gyntaf y Bedyddwyr, yn Llanilltud (Ilston) Gŵyr (John Miles)			Isaac Newton, 1642-1727
			1642 Ewropeaid yn darganfod Seland Newydd
1650-53 Deddf Taenu'r Efengyl yng Nghymru			
			1653-58 Cromwell yn Arglwydd Amddiffynnydd
1662-1689 Erlid Anghydffurfwyr	**1660** Dienyddio John Jones, Maesygarnedd		
Matthew Henry, 1662-1714			
1674 Sefydlu'r Ymddiriedolaeth Gymreig		Isaac Watts, 1674-1748	
		1678 Cyhoeddi *Pilgrim's Progress* (John Bunyan)	
1681 Cyhoeddi *Canwyll y Cymru* (Y Ficer Prichard)		**1685** Yr Huguenots (Protestaniaid) yn ffoi o Ffrainc	

'Piwritaniaid' yw'r enw a roddir ar y rhain fel arfer. A dweud y gwir, mae gwerth yr enw yn destun dadl rhwng ysgolheigion, i raddau oherwydd fod y gair yn cael ei ddefnyddio i gynnwys pobl â phwysleisiau gwahanol. Ond hawdd derbyn yn fras farn tyst ar y pryd mai'r Piwritaniaid oedd 'y math poethach o Brotestaniaid'. Efallai'n wir fod rhai'n 'boethach' na'i gilydd, ond yn gyffredinol nid oeddynt yn fodlon ar grefydd allanol yn unig. Os oedd Cristnogaeth yn wir, roedd yn rhaid bod o ddifrif ynglŷn â hi. Os oedd Crist wedi marw drostynt, dylent fyw iddo ef. Sarhad ar Dduw oedd unrhyw ymateb llai.

Gallwn nodi ambell agwedd ar y 'poethder' hwn:

- Yn ddiwinyddol, Calfinaidd oedd daliadau Eglwys Loegr yn gyffredinol hyd at y 1620au, ond roedd rhyfaint o wahaniaeth pwyslais rhwng y Piwritaniaid ac aelodau'r sefydliad Anglicanaidd. Tueddd y Piwritaniaid oedd rhoi lle canolog i'r Beibl ac i angen aruthrol pobl fel pechaduriaid gerbron Duw, tra roedd y lleill yn fwy tebygol o bwysleisio gwerth rheswm dynol a gallu naturiol pobl i gredu ac ufuddhau i Dduw.

- Nid mater academaidd oedd diwinyddiaeth. Yn hytrach, roedd i effeithio ar fywyd bob dydd. Nod y Piwritaniaid oedd byw yn dduwiol yn y byd hwn. Nid oedd ganddynt le, felly, i arferion megis meddwdod, gamblo, baetio eirth, ac ymladd ceiliogod. Yn gadarnhaol, gosodent fri mawr ar y teulu, ar werth y Saboth Cristnogol, ac ar fyw yn gwbl onest. Roedd Duw i fod i deyrnasu ar bob agwedd ar fywyd.

- Wrth reswm, roedd llawer o Biwritaniaid yn awyddus i ddiwygio'r Eglwys, gan mai yn yr Eglwys yr oedd Duw i'w addoli uwchlaw pob man arall. Er bod rhai ohonynt yn ddigon hapus i hybu Protestaniaeth yn weddol dawel yn eu plwyfi lleol, awchai eraill am gael gwared â'r elfennau Pabyddol a oedd o hyd yn rhan o fywyd ac addoliad Eglwys Loegr. Eu nod oedd ei gwneud hi'n fwy tebyg i rai o'r eglwysi Diwygiedig ar y Cyfandir.

Ceisio gosod patrwm Presbyteraidd ar Eglwys Loegr a wnaent i gychwyn, ond roedd ambell un yn argyhoeddedig fod yn rhaid ymwahanu oddi wrth yr Eglwys Wladol yn gyfan gwbl. Yn nes ymlaen dechreuodd Annibynwyr a

Duwioldeb ymarferol y Piwritaniaid

'Amddiffyn ni, cyfarwydda ni, a bendithia ni y dydd heddiw, yn ein holl ffyrdd a'n gorchwylion cyfreithlon, a chadw ni rhag malais Satan a dynion drwg, a rhag y drygau y mae ein pechod yn barod i dynnu ar ein gwarthaf; Fel y gallom ni yn yr hwyr, roddi i ti ddiolchgarwch llawen, trwy Iesu Grist ein Hiachawdwr.'

Gweddi gan Richard Jones (1603?–73)

Bedyddwyr ddod i'r amlwg ymhlith y Piwritaniaid. Rhoddent hwy bwyslais ar yr eglwys leol neu 'eglwys gynnull', a oedd i gynnwys credinwyr yn unig, yn wahanol i'r Eglwys Wladol a oedd i gynnwys pawb yn y wlad.

- Roedd hi'n anochel y byddai daliadau rhai o'r Piwritaniaid yn golygu gwrthdrawiad â'r awdurdodau. Daeth hyn i'r amlwg yn enwedig yn ystod teyrnasiad Charles I, gan fod y brenin (gydag Archesgob William Laud) yn benderfynol o ddilyn polisïau gwrth-Biwritanaidd. O ganlyniad, dechreuodd rhai o'r Piwritaniaid godi cwestiynau sylfaenol ynghylch hawliau'r brenin.

Roedd agweddau diwinyddol, moesol, eglwysig, a gwleidyddol i Biwritaniaeth, felly. Ond nid oedd pob Piwritan 'diwinyddol', dyweder, hefyd yn Biwritan 'eglwysig'. Ac er bod Piwritaniaid yn amlwg eu gwrthwynebiad i Charles I a Laud, petrusai rhai a oedd yn Biwritanaidd ym mhob ystyr arall rhag codi arfau yn eu herbyn. Roedd Piwritaniaeth yn golygu cymryd Cristnogaeth, a Duw, o ddifrif. Ond roedd gwahaniaethau barn ynglŷn â chymhwyso'r egwyddor hon yn ymarferol.

Cynnydd a chynnwrf

Er i Biwritaniaeth gynyddu'n sylweddol yn yr Alban a Lloegr yn ystod teyrnasiad Elisabeth, digon prin oedd y Piwritaniaid yng Nghymru i gychwyn. Gellir dweud yn sicr na fu fawr o alw yr ochr yma i Glawdd Offa am ddiwygio'r Eglwys ymhellach. Yn wir, yn *Deffynniad Ffydd Eglwys Loegr* (1594), cyfieithiad Morris Kyffin (c.1555–98) o waith yr Esgob John

Gobaith yn wyneb marwolaeth

'Dyn ifanc tlawd ydwyf, wedi fy ngeni a'm magu ym mynyddoedd Cymru . . . A minnau bellach yn mynd i orffen fy nyddiau cyn i mi ddod at hanner fy mlynyddoedd yn ôl trefn debygol natur, gadawaf lwyddiant fy llafur hwn i'r rheini o blith fy nghydwladwyr ag y bydd yr Arglwydd yn eu codi ar fy ôl er mwyn cyflawni'r gwaith hwnnw a ddechreuais i, sef galw fy ngwlad i wybodaeth o efengyl fendigedig Crist.'

Geiriau John Penry ychydig cyn ei ddienyddio

John Penry (1563–93)

Y Cymro mwyaf llafar ynghylch diwygio'r Eglwys a sicrhau pregethu gwir effeithiol yng Nghymru oedd John Penry. Cefn-brith, fferm ger Llangamarch yn sir Frycheiniog, yw ei fan geni yn ôl traddodiad ond mae'n fwy tebygol ei fod yn frodor o Forgannwg. Mae'n bosibl iawn iddo gofleidio syniadau Piwritanaidd wrth astudio yn Peterhouse, Caer-grawnt, un o ganolfannau'r Piwritaniaid adeg Elisabeth. Fe'i cysylltir weithiau â thractau 'Martin Marprelate', a wnâi hwyl am ben arweinwyr Anglicanaidd, ond mae'n annhebygol mai ef oedd eu hawdur.

Croesawodd Penry y Beibl yn Gymraeg, ond cwynai'n daer nad oedd neges y Beibl hwnnw yn cael ei phregethu i drwch y boblogaeth:

- Pethau cosmetig yn unig oedd y newidiadau a gyflwynwyd. Nid oedd y bobl yn dysgu ond ffurfiau allanol crefydd, ac o ganlyniad roeddynt yn parhau yn eu tywyllwch ysbrydol.

- Tynnai sylw at ddiffyg pregethwyr, a hefyd at wendidau difrifol y rhai a oedd yn pregethu— *'blind guides'*, *'rogues and vagabonds'*, *'known adulterers, known drunkards, thieves, roisterers, most abominable swearers'*.

- Roedd yn rhaid newid y drefn, felly, a galwai ar yr awdurdodau i ddiwygio Eglwys Loegr yn fwy trwyadl er mwyn sicrhau fod neges yr efengyl yn mynd ar led yn effeithiol. Rhoddai bwyslais arbennig ar ddarparu trwy gyfrwng y Gymraeg er mwyn i'r werin glywed yr efengyl yn eu hiaith eu hunain.

Gwelwn yn y galwadau hyn ryw daerni a difrifoldeb sy'n dangos ei fod yn teimlo angen ei gyd-Gymry i'r byw. Nid digon oedd cael Protestaniaeth mewn enw: roedd yn rhaid wrth y math o Gristnogaeth feiblaidd a oedd wedi newid ei fywyd ef ac a allai newid bywydau pobl eraill yng Nghymru.

Pulpud coffa John Penry, Southwark, Llundain

Yn nes ymlaen aeth Penry yn fwyfwy pesimistaidd ynghylch y posibilrwydd o buro Eglwys Loegr. Yn ei dyb ef, gwell oedd ymwahanu oddi wrth y fath sefydliad. Roedd gwir eglwys i gynnwys pob un a gredai o'r galon yn Iesu Grist, yn hytrach na holl drigolion y wlad yn ddiwahân (ar batrwm Eglwys Loegr).

Mae'n gywir edrych ar John Penry fel 'Anghydffurfiwr' o flaen ei amser, er na chafodd ei syniadau ymwahanol ddim dylanwad ar Gymru ar y pryd. Yn wir, gan mai Elisabeth oedd 'llywodraethwr pennaf' Eglwys Loegr, roedd y syniadau hyn yn beryglus o chwyldroadol. Y canlyniad oedd i John Penry a rhai o'i gyfeillion gael eu dal yn Llundain, a'u dienyddio yn 1593 am eu daliadau.

Jewel, dadleuwyd yn rymus fod hen ddigon o ddiwygio wedi bod ar Eglwys Loegr.

Yr eithriad amlycaf oedd John Penry (1563–93). Er iddo arddel diwinyddiaeth Galfinaidd Kyffin a Jewel, teimlai i'r byw hefyd fod Eglwys Loegr yn methu'n druenus yn y gwaith o gwrdd ag anghenion crefyddol ei gyd-Gymry. Ei ymateb oedd erfyn yn daer ar i'r awdurdodau ddarparu'n fwy effeithiol ar gyfer y bobl yn eu tywyllwch ysbrydol.

Ond llef un yn llefain yn y diffeithwch oedd John Penry. Hyd yn oed pan ddechreuodd nifer y Piwritaniaid gynyddu adeg James I (teyrnasu 1603–25) a Charles I (teyrnasu 1625–49), dim ond yn nhrefi'r gogledd-ddwyrain (megis Wrecsam) a'r de-ddwyrain yr oedd y cydymdeimlad mwyaf agored â Phiwritaniaeth. Mae'n arwyddocaol mai yn Llanfaches, rhwng Casnewydd a Chas-gwent yng nghornel eithaf de-ddwyrain Cymru, y sefydlwyd—dan arweiniad William Wroth (1576–1641)—yr enghraifft gyntaf o 'eglwys gynnull' o gredinwyr yng Nghymru, a hynny mor ddiweddar â 1639.

Doedd dim rhyfedd, felly, i'r Piwritaniaid yn gyffredinol edrych ar rannau helaeth o Gymru fel 'un o gorneli tywyll y wlad'. Ond roedd ambell arwydd o fywyd ysbrydol serch hynny:

- Yn 1620 cyhoeddwyd fersiwn diwygiedig o'r Beibl— gwaith pwysig Esgob Richard Parry (1560–1623) a John Davies (c.1567–1644), Mallwyd. Eu cyfraniad pennaf oedd cysoni a safoni iaith Beibl William Morgan.

- Ddeng mlynedd yn ddiweddarach ymddangosodd y Beibl Bach neu'r Beibl Coron (oherwydd ei faint a'i bris). Am y rhesymau hyn roedd y Beibl bellach o fewn cyrraedd llawer mwy o bobl. Gyda'r gyfrol hon mewn golwg, ysgrifennodd y Ficer Prichard (1579–1644) y pennill canlynol:

  Gwerth dy dir, a gwerth dy ddodrefn,
  Gwerth dy grys oddi ar dy gefen,
  Gwerth y cwbl oll sydd gennyd,
  Cyn y b'ech heb Air y bywyd.

- Rhoddai beirdd megis John Donne (1571/2–1631), George Herbert (1593–1633), a Henry Vaughan (1621–95), pob un â chysylltiadau Cymreig, le amlwg yn eu cerddi i'w daliadau Cristnogol. Ond oherwydd iddynt ysgrifennu mewn Saesneg caboledig ar gyfer y dosbarthiadau addysgedig, ychydig o Gymry a gâi flas ar gyfoeth eu gwaith.

- Tra gwahanol oedd hi gyda barddoniaeth Rhys Prichard, ficer Llanymddyfri. Ei nod oedd trwytho'r werin yn y ffydd feiblaidd, gan ddefnyddio penillion syml fel ffordd effeithiol o geisio cyrraedd pobl ddiaddysg. Bu bri mawr ar y casgliad o'r penillion, sef *Canwyll y Cymru*, am flynyddoedd maith.

Ond roedd cynnwrf ar fin dod, nid yn unig i Gymru ond i Brydain yn gyffredinol. Gwelodd y cyfnod 1600–1640 wrthdaro cynyddol yn y meysydd gwleidyddol, cymdeithasol, economaidd, a chrefyddol. Pen draw'r gwrthdaro hwn oedd cychwyn y Rhyfel Cartref yn 1642 rhwng Charles I a'r Senedd. Roedd llawer o ffactorau'n gyfrifol am y rhyfel hwn, ond yn eu plith yr oedd twf y mudiad Piwritanaidd ac adwaith annoeth yr awdurdodau iddo. Ni allai polisïau awtocratig Charles a'r Archesgob William Laud, gan gynnwys pleidio arferion eglwysig mwy Pabyddol eu naws, ond ychwanegu at y tensiynau cyffredinol yn y wlad.

Cyfraniadau cadarnhaol

O gofio nad oedd Piwritaniaeth yn gryf yng Nghymru, doedd dim syndod fod y wlad at ei gilydd o blaid Charles yn ystod y brwydro. Gyda buddugoliaeth y Senedd, fodd bynnag, aethpwyd ati i geisio diwygio'r Eglwys yn unol â dymuniadau'r Piwritaniaid:

- Er bod y Piwritaniaid 'Pengrwn' yn aml yn cael eu pardduo fel rhai gormesol eu tueddiadau, y gwir yw i fesur helaeth o ryddid crefyddol — mwy nag erioed o'r blaen yn ddi-os — gael ei ganiatáu gan Oliver Cromwell (Arglwydd Amddiffynnydd, 1653–58).

Charles I

Hunan newydd

'Ac yn lle dy *hen Hunan*, di gei *Hunan newydd*, yr hwn yw Crist ei hunan, yn dy galon gnawdol di.'

Morgan Llwyd

● Bu dynion tra dawnus megis Walter Cradoc (1610?–59) o Langwm, Gwent, yn wreiddiol, Vavasor Powell (1617–70) o Gnwclas, sir Faesyfed, a Morgan Llwyd (1619–59), brodor o Faentwrog, Meirionnydd, er iddo gael ei gysylltu'n bennaf â Wrecsam, yn eithriadol o ddiwyd yn pregethu'r efengyl ac yn ceisio eu gorau glas i wella cyflwr ysbrydol yr Eglwys yn gyffredinol.

● Gwelodd Oliver Thomas (c.1598–1652) o sir Drefaldwyn bwysigrwydd llyfrau er mwyn goleuo'r werin. Ymhlith y cyfrolau a gyhoeddwyd ganddo roedd dwy yn dwyn y teitl *Car-wr y Cymru* (1630 a 1631).

● Ffurfiwyd eglwys gyntaf y Bedyddwyr yng Nghymru yn 1649, sef Eglwys Llanilltud (Ilston) ym Mhenrhyn Gŵyr, dan arweiniad John Miles (1621–83).

Olion Eglwys Llanilltud (Ilston) Gŵyr

● Un digwyddiad o bwys arbennig oedd pasio yn 1650 y Ddeddf er Gwell Taenu a Phregethu'r Efengyl yng Nghymru. Yn ogystal â chreu fframwaith ar gyfer symud clerigwyr annheilwng ac anghymwys—a thrwy hynny gwrdd â galwadau taer John Penry gynt—sefydlodd hefyd ysgolion rhad ym mhrif drefi Cymru er mwyn cynnig hyfforddiant i ddarpar-weinidogion. Ni pharhaodd yn hir, ond i bob pwrpas hon oedd yr ymgais gyntaf erioed i lunio cyfundrefn addysg ar gyfer Cymru. Yr un mor arwyddocaol—ac yn hynod iawn yng nghyd-destun y

cyfnod hwn—roedd Deddf y Taenu yn cydnabod Cymru
fel gwlad ar wahân, a chanddi hawl i weithredu ei
pholisïau crefyddol ei hun.

Mae'n rhaid dweud na chafodd ymdrechion y Piwritaniaid
lawer iawn o groeso gan y Cymry'n gyffredinol, ond mae'n
sicr i'r mudiad Piwritanaidd dyfu mewn nerth a dylanwad
wrth i'r ganrif fynd ymlaen, yn enwedig mewn rhai mannau.
Mewn disgrifiad trawiadol, sonia Walter Cradoc am
lwyddiant ysgubol i efengyl Iesu Grist mewn rhan o dde-
ddwyrain Cymru: 'Rwyf wedi sylwi ac wedi gweld ym
mynyddoedd Cymru y gwaith mwyaf gogoneddus a welais
erioed . . . mae'r efengyl wedi rhedeg dros y mynyddoedd
rhwng Brycheiniog a Mynwy, fel y tân mewn to gwellt.' Yn
yr ardal hon, o leiaf, nid defod ffurfiol oedd crefydd ond
profiad byw a oedd yn effeithio'n ddwfn ar fywydau pobl.

Cymylau

Ar ôl marw Cromwell yn 1658 ac adfer y frenhiniaeth ym
mherson Charles II yn 1660, dialwyd ar y Piwritaniaid gan eu
gelynion. Dychwelwyd Eglwys Loegr i'w hen ffurf, a bu cryn
erlid ar y sawl a wrthodai gydymffurfio â'i threfniadau
addoli a'i gweinyddu hierarchaidd. Ymhlith y rhai a
ddioddefent oedd Crynwyr Meirionnydd, ac aeth nifer o'u
plith i America i geisio dihangfa.

Gadawodd—neu fe'u taflwyd allan—bron i
2,000 o weinidogion eu plwyfi a'u swyddi dysgu
yng Nghymru a Lloegr (130 ohonynt yng
Nghymru), am eu bod yn methu â derbyn trefn ac
arferion gorfodol yr Eglwys. Un a ddioddefodd
felly oedd Philip Henry (1631–96), a fuasai'n
weinidog yn Worthenbury, sir Fflint, sef tad Matthew
Henry (1662–1714), yr esboniwr beiblaidd enwog. Un
arall oedd Samuel Jones (1628–97), Llangynwyd,
Morgannwg, a sefydlodd academi Ymneilltuol enwog ym
Mrynllywarch yn yr un plwyf er mwyn darparu addysg i
weinidogion y dyfodol.

Ond nid oedd colli bywoliaeth o angenrheidrwydd yn
golygu diwedd ar bob gweithgarwch. Manteisiodd Charles
Edwards (1628–91?) o Rydycroesau, Llansilin, sir Ddinbych,

*Cerflun o Oliver Cromwell, tu allan i'r
Senedd yn Llundain*

Morgan Llwyd (1619–59)

Ysgol Uwchradd Gymraeg yn Wrecsam yw 'Morgan Llwyd' i lawer o Gymry heddiw, ond mae Morgan Llwyd ei hun yn un o'r dynion mwyaf diddorol yn hanes ein llenyddiaeth a hanes Cristnogaeth yng Nghymru. Fe'i ganed yng Nghynfal-fawr, Maentwrog, Meirionnydd, ond â Wrecsam y'i cysylltir yn bennaf. Yno y derbyniodd ei addysg. Yno y cafodd dröedigaeth ysbrydol (dan bregethu Walter Cradoc). Ac yno, maes o law, y bu yntau'n weinidog.

Dyma sut y disgrifia ei dröedigaeth:

Wrth naturiaeth marw oeddwn, a phan welais i hynny mi a geisiais fyw, ond nis gallwn nes i bob peth ynof ac o'm hamgylch farw i mi. Ac yno y collodd y creadur ei afael arnaf, *a'r munud hwnnw* y cefais afael ar y Creawdwr, neu yn hytrach efe a ymaflodd ynof fi . . . Roeddwn i'n gweld fy mod i wedi cwympo ymysg lladron ysbrydol anhrugarog rhwng *Caersalem* a *Jericho*, ac yn ceisio gweiddi am help ond yn methu gweddïo, nes i'r *Samaritan* bendigedig, sef yr Achubwr nefol, ddyfod ataf a'm codi i fyny.

Ei waith enwocaf yw *Llyfr y Tri Aderyn* (1653), ond cyhoeddodd gyfanswm o un ar ddeg o gyfrolau. Mae canmoliaeth uchel i'w ryddiaith a'i farddoniaeth fel ei gilydd. Llwydda i gyfuno athrawiaeth a phrofiad mewn modd deniadol, drwy gyfrwng iaith fywiog a ffres.

Ceisiodd ambell awdur modern ei droi'n rhyw fath o gyfrinydd a gydymdeimlai â

Eglwys Silin Sant, Wrecsam

honiadau'r Crynwyr fod 'goleuni mewnol' i'w gael ym mhob un. Mae'n wir iddo roi tipyn mwy o sylw i brofiad ysbrydol na llawer o'i gyd-Biwritaniaid, i raddau oherwydd iddo ofni eu bod yn gosod gormod o le i grefydd y deall yn unig. Ond ni ellir gwadu fod ganddo'r un sylfaen gadarn—yn feiblaidd ac yn ddiwinyddol—â hwythau. Yn wir, yr hyn sy'n hynod amdano yw'r modd y llwydda i gyfleu hanfodion profiad y Cristion mor gofiadwy heb gefnu dim ar y sylfaen honno.

ar y cyfle i ymroi i gyhoeddi llyfrau Cristnogol. Yr amlycaf ohonynt oedd ei glasur *Y Ffydd Ddi-ffuant* (1667; cafwyd ychwanegiadau pwysig erbyn trydydd argraffiad 1677), sy'n bwrw golwg dros hanes Cristnogaeth drwy'r byd, dros hanes Cristnogaeth yng Nghymru, a thros wirioneddau sylfaenol y ffydd Gristnogol. Yr hyn sy'n amlwg yw awydd dwfn yr awdur i weld ei genedl ei hun yn dod i werthfawrogi a mwynhau breintiau'r ffydd hon.

Un arall sy'n mynnu sylw yw Stephen Hughes (1622–88), a fu'n ddiflino ei ymdrechion i fugeilio grwpiau bychain o Anghydffurfwyr, yn gymaint felly nes iddo gael ei alw'n 'Apostol sir Gaerfyrddin'. Bu yntau hefyd wrthi'n cyhoeddi llyfrau, gan gynnwys argraffiad arall o'r Beibl, gweithiau Piwritanaidd, *Canwyll y Cymru* (y Ficer Prichard), a'r cyfieithiad cyntaf i'r Gymraeg o lyfr enwog John Bunyan, *Taith y Pererin* (1688).

Roedd y gwaith olaf hwn yn arbennig o arwyddocaol yn ei wahanol argraffiadau. Cafodd ddylanwad amlwg ar emynau Pantycelyn ac eraill, sy'n aml iawn yn disgrifio bywyd yn daith a'r Cristion yn bererin. Ond bu'n eithriadol o

Ysgythriad o lyfr Taith y Pererin

Y Ficer Prichard (1579–1644)

Nid oes fawr ddim o bwys i'w ddweud am yrfa Rhys Prichard. Aeth i Goleg yr Iesu, Rhydychen, ac yna fe'i penodwyd yn ficer Llanymddyfri, sir Gaerfyrddin, ei fro enedigol. Cafodd nifer o swyddi uwch yn yr Eglwys Wladol, ond â Llanymddyfri y'i cysylltir yn bennaf.

Ond nid ei fywyd eithr ei gerddi sydd wedi rhoi hynodrwydd i'r 'Hen Ficer'. Wrth iddo sylwi ar anwybodaeth ac anfoesoldeb ei blwyfolion ei hun, a phobl Cymru yn gyffredinol, fe'i cynhyrfwyd i lunio cerddi syml a fyddai'n cyflwyno neges y Beibl yn glir ac yn effeithiol. Cyhoeddwyd *Canwyll y Cymru*, casgliad gweddol gyflawn o'i benillion, yn 1681 gan Stephen Hughes. Bu'n eithriadol o boblogaidd, ac fe'i hailgyhoeddwyd droeon.

Dyn dysgedig oedd Rhys Prichard, gyda doniau amlwg fel bardd, ond dewisodd ddefnyddio ei ddysg i gyfleu gwirioneddau mawr y ffydd Gristnogol mewn modd y gallai pawb ei ddeall. Yn fwriadol, felly, arferai eiriau Saesneg neu ffurfiau llygredig yn ei benillion. Ni cheir barddoniaeth 'fawr' ganddo, ond mae ei benillion yn dra effeithiol serch hynny. Dyma rai enghreifftiau:

Yn rhybuddio:
> Mene, Tecel, Tre' Llan'ddyfri,
> Pwysodd Duw di yn dy frynti;
> Ni cha'dd ynot ond y sorod;
> Gochel weithian rhag ei ddyrnod.

Yn dysgu:
> Crist yn unig yw'n Cyfryngwr,
> Sy'n cymodi â'n Creawdwr;
> Nid oes neb ond Crist ei hun
> All gymodi Duw a dyn.

Yn gwahodd:
> Dere, hen bechadur truan,
> Dere at Grist trwy ffydd dan riddfan,
> Mae Mab Duw yn d'alw ato,
> Os yw pechod yn dy flino.

Yn dyheu am weld llewyrch ysbrydol yng Nghymru:
> Duw oleuo bawb o'r Cymry,
> I'w wir 'nabod a'i was'naethu;
> Duw a wnêl i hyn o *Ganwyll*
> Roi i'r dall oleuni didwyll.

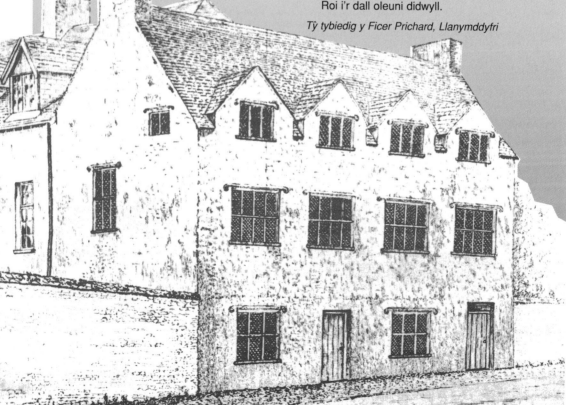

Tŷ tybiedig y Ficer Prichard, Llanymddyfri

boblogaidd hefyd gyda'r werin yn gyffredinol, ac yn un o'r eitemau cyson ym mhob casgliad bach o lyfrau ar aelwydydd Cymru. Nid y peth lleiaf gwerthfawr amdano yng ngolwg ei ddarllenwyr oedd y ffaith fod Bunyan ei hun yn y carchar oherwydd ei ffydd pan ysgrifennodd y llyfr.

Datblygiad arall o bwys yn y cyfnod hwn oedd sefydlu'r Ymddiriedolaeth Gymreig yn 1674. Piwritan o'r enw Thomas Gouge a fu'n gyfrifol am y fenter, a chynnal ysgolion Cristnogol i blant yn brif nod ganddo. Ar ben hyn, roedd yn awyddus iawn i ddarparu llyfrau Cristnogol i'r Cymry, ac yn y gwaith hwn cafodd gymorth parod gan Stephen Hughes a Charles Edwards. Ni fu gormod o lewyrch ar yr ysgolion, yn bennaf am iddynt gael eu cynnal yn Saesneg. Ond roedd y cynllun ei hun yn bwysig ar adeg pan oedd Piwritaniaid mewn perygl o gael eu gwylio neu eu herlid gan yr awdurdodau.

Her i fywyd y Cristion

Y dwfr rhedegog sy loywaf, a'r awyr wyntog sy iachaf, a'r Cristion bywiog sydd ysbrydolaf. Ni all neb gerdded dwy ffordd wrthwynebus i'w gilydd ar unwaith; yr hwn a fyddo yn myned rhagddo yn egnïol mewn daioni nid aiff yn ôl i'r drwg.'

Charles Edwards

Heddwch

Ni fu'r gwylio na'r erlid yn gyson nac yn llym ym mhob man. Er enghraifft, roedd Bedyddwyr gogledd-ddwyrain Penfro a gogledd-orllewin Caerfyrddin yn ddigon mentrus yn 1668 i ffurfio eglwys ddylanwadol iawn yn Rhydwilym. Draw i'r dwyrain, llwyddodd Henry Maurice (1634–82), 'Apostol Brycheiniog', i weinidogaethu'n effeithiol i Annibynwyr ar hyd a lled y sir honno.

Ond yn 1689 daeth rhywfaint o waredigaeth i'r Anghydffurfwyr yn gyffredinol, ar ffurf Deddf Goddefiad. Er nad oedd rhyddid llwyr iddynt o bell ffordd, o leiaf gallai'r rhai a fuasai'n cyfarfod yn 'danddaearol' ddod ynghyd bellach er mwyn addoli heb ofni cael eu herlid. Codwyd capeli mewn llawer rhan o Gymru — megis yr achos Annibynnol ym Maesyronnen, ger y Clas-ar-Wy yng nghornel ddeheuol sir Faesyfed, sy'n dal ar ei draed — a thrwy hynny roi cychwyn i Anghydffurfiaeth swyddogol.

Bu'r ail ganrif ar bymtheg yn llawn tensiynau — yn wleidyddol, yn gymdeithasol, yn grefyddol. Ond wrth i'r ganrif ddod i ben, o'r diwedd daeth mesur o

Capel Maesyronnen, Y Clas-ar-Wy

heddwch i Gymru yn gyffredinol ac i'r eglwysi yn benodol. Darfu'r cynnwrf. Y perygl wedyn, wrth gwrs, oedd i ddifaterwch gymryd ei le. Ar droad y ganrif roedd digon o arwyddion fod hyn yn digwydd. Roedd rhyddid i addoli. Roedd rhyw fath o ffydd Gristnogol yn cael ei chymryd yn ganiataol mewn cymdeithas yn gyffredinol. Ond braidd yn ddiafael oedd hi, a dweud y lleiaf.

Ble oedd y bywyd, y grym . . . ?

Deuai ateb pendant i'r cwestiwn hwn yn y ganrif ddilynol.

Capel Llanfaches heddiw

5—Cyffro

Beth oedd y sefyllfa erbyn 1700, felly? Roedd
Protestaniaeth wedi dod i Gymru yn ffurfiol er y
1530au. O dipyn i beth yn ystod y ganrif honno cafodd
rhywrai fan hyn a fan draw afael ar yr un neges
chwyldroadol ag a gyhoeddwyd gan Luther a'r Diwygwyr
eraill ar y Cyfandir. Yn yr ail ganrif ar bymtheg, wedyn,
gwelwyd mudiad Piwritanaidd, sefydlu eglwysi 'cynnull' tu
allan i Eglwys Loegr, ac yna ddechreuadau Anghydffurfiaeth
go iawn.

Er gwaetha'r datblygiadau hyn, digon araf oedd yr Eglwys
Anglicanaidd led-ddiwygiedig a'r amryw eglwysi 'cynnull'
neu Anghydffurfiol i ennill calon y Cymry cyffredin. Yn ei
ddisgrifiad o gyflwr esgobaeth Tyddewi yn 1721, mae
Erasmus Saunders (1670–1724) yn darlunio pobl sydd eto'n
parhau yn eu hymlyniad wrth arferion Pabyddol i raddau
helaeth—rhywbeth a oedd wedi peri cryn ofid i'r Ficer
Prichard ganrif ynghynt. Er bod Saunders yn dal rhywfaint o
ddig yn erbyn yr awdurdodau eglwysig, mae lle i gredu fod
sylwedd ei sylwadau yn ddigon agos i'w lle.

Gweithgarwch

Yr un pryd, dylid cofio fod cryn dipyn o weithgarwch
crefyddol yn rhan gyntaf y ddeunawfed ganrif:

- Yn gyffredinol, roedd y pregethu'n well ac yn fwy cyson
  nag mewn sawl cyfnod yn hanes y genedl.

- Roedd cynnydd yn nifer y llyfrau defosiynol a
  gyhoeddwyd yn Gymraeg.

- Gellir enwi nifer o ffigurau diwyd a dawnus ymhlith y
  gwahanol enwadau:

  ‣ Gyda'r Anglicaniaid, er enghraifft, nid oes modd
  anwybyddu cyfraniad llenyddol Ellis Wynne (1671–1734)
  o'r Lasynys, Meirionnydd, a'i waith pwerus

CIP AR Y CYFNOD   *Cyffro*

Y Ffydd yng Nghymru	Hanes a Llên Cymru	Yr Eglwys Ehangach	Y Byd yn Gyfan

Y Ffydd yng Nghymru

Griffith Jones, Llanddowror, 1684-1761

Daniel Rowland, 1713-90

Howel Harris, 1714-73

Morgan Rhys, 1716-79

William Williams, Pantycelyn, 1717-91

Peter Williams, 1723-96

1731-32 Griffith Jones yn arbrofi gyda'i ysgolion cylchynol

1735 Trõedigaeth Howel Harris a Daniel Rowland

1750-62 Rhwyg ymhlith y Methodistiaid

Thomas Charles 1755-1814

Thomas Jones, Dinbych, 1756-1820

1768 Agor coleg yn Nhrefeca gan Iarlles Huntingdon

1770 Beibl Peter Williams

Hanes a Llên Cymru

1703 *Gweledigaetheu y Bardd Cwsc* (Ellis Wynne)

1707 *Archaeologia Britannica* (Edward Llwyd)

1716 *Drych y Prif Oesoedd* (Theophilus Evans)

1740au Cychwyn y diwydiant haearn ym Merthyr

Iolo Morganwg, `1747-1826

1752 *'Cywydd y Farn Fawr'* (Goronwy Owen)

Robert Owen, 1771-1858

1780au Cychwyn y diwydiant llechi yn y gogledd

1793 Cychwyn *Y Cylchgrawn Cynmraeg*

1797 Glaniad y Ffrancod yn sir Benfro

Yr Eglwys Ehangach

1698 Sefydlu'r *SPCK*

Ludwig von Zinzendorf 1700-60

Jonathan Edwards, 1703-58

John Wesley, 1703-91

George Whitefield, 1714-70

1722 Ad-drefnu'r Morafiaid

1793 William Carey'n mynd yn genhadwr i'r India

1795 Cymdeithas Genhadol Llundain

1799 Cymdeithas Genhadol yr Eglwys

1799 Cymdeithas y Traethodau Crefyddol

Y Byd yn Gyfan

J. S. Bach, 1685-1750

Handel, 1685-1759

Voltaire, 1694-1778

1707 Uno Lloegr a'r Alban

J.-J. Rousseau, 1712-78

Immanuel Kant, 1724-1804

James Watt, 1736-1819

1745 Gwrthryfel *'Bonnie Prince Charlie'*

Mozart, 1756-91

Beethoven, 1770-1827

1775-83 Rhyfel Annibyniaeth America

1789 Chwyldro Ffrengig

Gweledigaetheu y Bardd Cwsc (1703), nac, yn ddiweddarach, un Goronwy Owen (1723–69) o Fôn, a'i *Cywydd y Farn Fawr* (1752).

▸ Ymhlith yr Annibynwyr roedd rhai fel Thomas Baddy (marw 1729), Dinbych, ac Edmund Jones (1702–93), Pont-y-pŵl, yn weithgar iawn.

▸ Roedd Enoch Francis (1668/9–1740) yn nyffryn Teifi, a Miles Harri (1700–76) yng Ngwent, yn amlwg gyda'r Bedyddwyr.

Mae'n wir i rai o'r Anghydffurfwyr gael eu cyhuddo o fod yn 'Sentars sychion' am fod eu pregethau'n hir ac yn drwm, ond nid felly pawb ohonynt o bell, bell ffordd.

● Ceid gwahanol ymdrechion i ddarparu addysg grefyddol i bobl Cymru—er bod mesur eu llwyddiant yn amrywio'n fawr—a rhoddid cryn bwyslais ar fyw yn foesol o safbwynt Cristnogol.

● Mae'n rhaid canmol hefyd waith y Gymdeithas er Taenu Gwybodaeth Gristnogol (*SPCK*), y sefydliad Anglicanaidd a fu'n gyfrifol am ddarparu llwyth o Feiblau a llyfrau defosiynol yng Nghymru a mannau eraill, yn ogystal â sefydlu rhwydwaith o ysgolion.

Ond er gwaetha'r gweithgarwch hwn, o'r braidd y gellir honni fod llawer o lewyrch ar y sefyllfa grefyddol yng Nghymru yn 1730. Ceid diwydrwydd a ffyddlondeb, ond ychydig iawn o arwyddion o fywyd ysbrydol byrlymus.

Crefydd Griffith Jones

'Onid crefydd yw bwriad a diben ein bodolaeth . . .? Onid oes gennym Dduw i'w blesio, enaid i'w achub, cyfrif i'w wneud, nefoedd i'w cheisio, uffern i ffoi rhagddi? Onid crefydd yw'r peth mwyaf buddiol a manteisiol, a hefyd y peth mwyaf llawen a dymunol yn yr holl fyd . . . ?'

Paratoi'r tir

Yr eithriad amlycaf i'r duedd gyffredinol oedd Griffith Jones (1684–1761), rheithor Llanddowror ger Sanclêr yn sir Gaerfyrddin. Daeth yn enwog yn gyntaf fel pregethwr a oedd yn denu torfeydd mawr, ond ei waith pwysicaf o bell ffordd oedd ei ysgolion cylchynol. Drwy'r rhain, dysgwyd miloedd lawer o Gymry cyffredin i ddarllen y Beibl. Bu'r dysgu hwn yn werthfawr ynddo'i hun, ond bu hefyd yn paratoi'r tir yn hynod effeithiol ar gyfer Methodistiaeth.

Yn wir, mae Griffith Jones ei hun yn aml yn cael ei ystyried yn 'seren fore' Methodistiaeth yng Nghymru:

Griffith Jones, Llanddowror (1684–1761)

Mae nifer o ysgolheigion wedi honni mai Griffith Jones, rheithor Llanddowror yn sir Gaerfyrddin, oedd Cymro mwyaf y ddeunawfed ganrif, a hawdd gweld y rhesymau dros yr honiad hwn:

- Bu ei gyfraniad i ddatblygiad addysg yng Nghymru yn eithriadol o werthfawr. O'i arbrawf cyntaf gyda'i ysgolion cylchynol tua 1731–32 hyd at ei farw yn 1761, mae'n bosibl i gynifer â 200,000 o drigolion Cymru ddysgu darllen i raddau mwy neu lai, ar adeg pan nad oedd poblogaeth y wlad ond rhywfaint dros 450,000. Trwy ei waith diflino a'i allu gweinyddol anghyffredin, ynghyd â chefnogaeth gyson Madam Bridget Bevan (1698–1779), cymerwyd camau breision tuag at wneud Cymru'n wlad lythrennog. Yn wir, hi oedd un o'r gwledydd cyntaf yn y byd modern i fod felly.

- Ond yr hyn a wnaeth Griffith Jones hefyd oedd gwneud Cymru'n wlad lythrennog *yn Gymraeg*. Er pwysiced cael y Beibl yn Gymraeg, roedd ei werth yn gyfyngedig tra oedd pobl yn methu â'i ddarllen. O gynnal ei ysgolion yn Gymraeg, sicrhaodd Griffith Jones fod y werin yn medru ei ddarllen a'i ddeall drostynt eu hunain. O ganlyniad, cododd to o ddarllenwyr Cymraeg a oedd yn gyfarwydd â iaith safonol y Beibl, a fedrai gyfathrebu'n rhwydd drwy'r iaith honno, ac a fu felly'n gyfrwng pwysig i estyn hyd bywyd yr iaith.

- Nod pennaf Griffith Jones, serch hynny, oedd sicrhau lles eneidiau ei gyd-Gymry. 'A ydyw'n beth dymunol gennych chwi i ddysgu darllen Cymraeg?' yw'r cwestiwn cyntaf yn ei lyfr *Cyngor Rhad yr Anllythrennog*. A'r ateb? Ydyw, 'er mwyn cyrraedd gwybodaeth o'r pethau a berthyn i'm heddwch â Duw; pe buaswn farw heb wybodaeth o'r pethau hyn, pa gyflwr truenus y buasai fy enaid ynddo, yn ddiobaith o ymwared byth!' Wrth ymateb i'r hyn a

Eglwys Llanddowror

ddarllenwyd yn y Beibl Cymraeg yn yr ysgolion, daeth llawer i'r heddwch hwn â Duw drostynt eu hunain.

Yn Griffith Jones, felly, daw rhai o nodweddion pwysicaf y ddeunawfed ganrif ynghyd: darpariaeth addysg i'r werin, adfywiad yr iaith Gymraeg, a'r deffroad crefyddol. Trwy ei gyfraniad hynod ymhob un o'r meysydd hyn, cafodd ddylanwad helaeth iawn ar fywyd y genedl. Byddai Cymru wedi datblygu mewn ffordd dra gwahanol ac—yn ôl pob tebyg—er gwaeth yn hytrach nag er gwell oni bai am ei waith gorchestol. A dyfynnu barn George Whitefield, ymhlith y 'canhwyllau yn llosgi ac yn goleuo' yng Nghymru 'mae Mr Griffith Jones yn disgleirio'n arbennig' fel un o'r 'milwyr da dros Iesu Grist'.

- Yn weinidog ifanc, roedd wedi profi llwyddiant anghyffredin ar ei bregethu, gan gynnwys pregethu yn yr awyr agored. Ni bu ond y dim iddo fentro'n genhadwr i'r India, y cyntaf o Brydain i wneud gwaith o'r fath yno petai wedi mynd.

- Roedd yr ysgolion cylchynol a'r seiadau Methodistaidd yn tueddu i fwydo ei gilydd, a cheid nifer sylweddol o Fethodistiaid ymhlith athrawon yr ysgolion.

- Roedd perthynas arbennig rhyngddo a'r Methodistiaid cynnar. Trwy bregethu Griffith Jones y cafodd Daniel Rowland dröedigaeth. Yn Gristion ifanc, âi Howel Harris yn aml i Landdowror am gyngor. Roedd gwraig Williams Pantycelyn wedi byw am gyfnod yng nghartref Griffith Jones, a mam Peter Williams yn aelod o'r gynulleidfa yn Llanddowror. Bu Howel Davies, 'Apostol sir Benfro' yng ngolwg y Methodistiaid, yn gurad iddo. A maes o law cafodd Rhys Hugh, hen ddisgybl i Griffith Jones, ddylanwad mawr ar ddyn ifanc o'r enw Thomas Charles, a oedd yntau'n frodor o ardal Llanddowror.

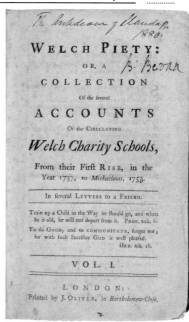

Tudalen deitl un o gyfrolau Welch Piety, *sef adroddiadau Griffith Jones ar waith ei ysgolion*

- Ar ben hyn i gyd, wrth gwrs, roedd y ffaith fod miloedd lawer yn medru darllen y Beibl oherwydd yr ysgolion cylchynol yn hwb aruthrol i dwf Methodistiaeth.

- Ond nid oedd Griffith Jones bob amser yn barod i gymeradwyo'r Methodistiaid. Roedd yn arbennig o amheus o'r rheini a dueddent i fynd dros ben llestri yn eu hymateb teimladol i'r efengyl. Ofnai y byddai diffyg cydbwysedd yn eu hagwedd yn dwyn enw drwg ar ei ysgolion ac yn rhwystro'r gwaith dylanwadol hwnnw.

Safai Griffith Jones yn ddolen gyswllt bwysig rhwng duwioldeb y Piwritaniaid a bwrlwm y Methodistiaid, ond gyda'i gyfraniad gwerthfawr ei hun yn ogystal. Mae'n anodd iawn gorbwysleisio ei arwyddocâd yn hanes ysbrydol Cymru yn ystod y cyfnod hwn.

Methodistiaeth

O droi ein sylw at Fethodistiaeth ei hun, nodwn fod dwy farn wahanol ynghylch ei dechreuadau a'i dylanwad. Yn gyntaf, mae rhai pobl wedi edrych ar Fethodistiaeth fel chwyldro sydyn a fu'n gyfrifol am drawsnewid cyflwr ysbrydol Cymru

Madam Bevan

dros nos. Hybodd Williams Pantycelyn y farn hon yn ei farwnad i Howel Harris:

Pan roedd Cymru gynt yn gorwedd
  Mewn rhyw dywyll farwol hun,
Heb na Phresbyter na 'Ffeiriad,
  Nac un Esgob ar ddi-hun;
Yn y cyfnos tywyll pygddu,
  Fe ddaeth dyn fel mewn twym ias,
Yn llawn gwreichion golau tanllyd,
  O Drefeca fach i ma's.

Llun dychmygol o'r Sasiwn gyntaf ymhlith y Methodistiaid

Achau ysbrydol

'Rwy'n tybio ein bod i gyd yn cytuno â'r hen Ddiwygwyr a Phiwritaniaid da ac uniongred; mae gennyf barch mawr at eu gweithiau . . .

Howel Harris

Ond mae eraill wedi adweithio'n frwd yn erbyn y syniad hwn. Maen nhw wedi tynnu sylw'n arbennig at weithgarwch yr Anglicaniaid a'r Ymneilltuwyr cyn dyddiau'r Methodistiaid, ac wedi dadlau mai araf iawn y gwelwyd dylanwad Methodistiaeth yn ymledu dros Gymru.

Fel sy'n digwydd yn aml iawn yn y math yma o ddadl, mae cryn dipyn o wir ar y naill ochr a'r llall. Ni ddylid byth ddibrisio ffyddlondeb nac anwybyddu cyfraniad Eglwys Loegr, yr Annibynwyr, a'r Bedyddwyr yn y cyfnod hwn. Yn wir, bu cryn nifer o'u plith yn gymorth pwysig i'r Methodistiaid, a *vice versa*. Mudiad o fewn Eglwys Loegr yn bennaf oll, wedi'r cyfan, oedd Methodistiaeth am dri chwarter canrif.

Ond yr hyn sy'n gwbl sicr yw i rywbeth go chwyldroadol ddod yn sgil Methodistiaeth. Er pob diwydrwydd a diffuantrwydd yn nechrau'r ddeunawfed ganrif, y gwir yw nad oedd fawr o lewyrch amlwg ar y gwahanol ymdrechion i hybu Cristnogaeth. Yr hyn a ddaeth gyda Methodistiaeth oedd cynnydd — cynnydd ar raddfa nas gwelwyd er Oes y Seintiau. Roedd cyflwr ysbrydol Cymru yn 1850 yn dra gwahanol i'r hyn a fuasai yn 1730. A'r cynnwrf a gysylltir â Methodistiaeth a fu wrth wraidd y newid hwn.

Roedd y tri arloeswr Methodistaidd, Howel Harris (1714–73), Daniel Rowland (1713–90), a William Williams Pantycelyn (1717–91), yn ddynion ifainc pan gawsant dröedigaeth. Yn achos Harris a Rowland digwyddodd hyn yn yr un flwyddyn, 1735, er yn hollol annibynnol ar ei gilydd. Myfyriwr ifanc oedd Williams, a'i nod ar fynd yn feddyg, ond newidiwyd ei fywyd wrth glywed Harris yn pregethu ym mynwent eglwys Talgarth tua 1737. Fel hyn y disgrifia Williams yr hyn a ddigwyddodd:

> *Dyma'r bore, fyth mi gofiaf,*
> *Clywais innau lais y nef;*
> *Daliwyd fi wrth wŷs oddi uchod*
> *Gan ei sŵn dychrynllyd ef.*

Yn y de y llafuriai Harris, Rowland, a Williams yn bennaf. Wynebai Harris yn arbennig gryn erledigaeth tra ar ei deithiau cenhadol. Wrth iddo bregethu yn y Gelli Gandryll, sir Frycheiniog, yn 1740 taflwyd cerrig ato ef a'i gyfaill William Seward, a bu farw Seward wedyn o'i anafiadau. Pan fentrodd Harris i ogledd Cymru, fe'i curwyd yn ddidrugaredd yn y Bala a saethwyd bwledi ato ym Machynlleth.

Tröedigaeth Howel Harris

'Wrth y Bwrdd [Bwrdd y Cymun yn Eglwys Talgarth] cedwid Crist yn gwaedu ar y Groes yn gyson gerbron fy llygaid; a rhoddwyd i mi nerth i gredu fy mod yn derbyn maddeuant ar gyfrif y gwaed hwnnw. Collais fy maich; euthum tuag adref gan lamu o lawenydd; a dywedwn wrth gymydog a oedd yn drist, "Paham yr ydych yn drist? Mi a wn fod fy meiau wedi eu maddau." . . . O! ddiwrnod bendigedig, na allwn ei gofio ond yn ddiolchus dros byth.'

Thomas Jones

Nid oedd fawr o groeso yn y gogledd chwaith i Peter Williams (1723–96) o Lansadyrnin, sir Gaerfyrddin, sy'n cael ei gofio'n bennaf am ei nodiadau esboniadol ar y Beibl. Pan roddodd gynnig ar bregethu yn ardal Wrecsam fe'i daliwyd gan Syr Watkin Williams Wynn o Wynnstay, Rhiwabon, a'i gadw yng nghytiau'r cŵn dros nos. Thomas Charles (1755–1814) o'r Bala, Meirionnydd, gyda'i gyfaill Thomas Jones (1756–1820) o Ddinbych, a fu'n bennaf gyfrifol am hybu Methodistiaeth yn y gogledd, ond bu ei thwf yno yn dipyn mwy diweddar nag yn y de.

Daliadau'r Methodistiaid

Tarddiad yr enw 'Methodistiaeth' oedd math arbennig o ymddygiad disgybledig. Yn nes ymlaen, cysylltwyd yr enw â phrofiad byw a gorfoleddus o ras Duw yng Nghrist. Ond roedd iddi hefyd gorff o gredoau canolog, ac yng Nghymru rhai Calfinaidd eu natur oedd y rhain.

Hynny yw, credai'r arweinwyr mai gwaith Duw ei hun yw iachawdwriaeth o'r dechrau i'r diwedd. Duw sy'n dewis dynion a merched pechadurus, nad ydynt yn medru eu hachub eu hunain oherwydd eu pechod, i fod yn bobl arbennig iddo'i hun. Duw sy'n darparu Gwaredwr sicr iddynt yn ei Fab, a fu'n fodlon marw drostynt er mwyn eu hachub. Duw sy'n eu deffro i weld eu hangen am achubiaeth, ac yn eu harwain i gredu yn Iesu Grist. A Duw sy'n eu cadw ar hyd eu taith ar y ddaear a'u harwain yn ddiogel i mewn i'r nefoedd.

Yr un oedd cred arweinwyr amlwg y cyfnod hwn o adfywiad mewn mannau eraill, megis George Whitefield yn Lloegr, Jonathan Edwards yn America, ac Iarlles Huntingdon, a agorodd goleg yn Nhrefeca yn 1768 ar gyfer hyfforddi pregethwyr. O ran eu hathrawiaeth, roeddynt i gyd yn barod i'w gweld eu hunain yn yr un llinach ag Awstin, y Diwygwyr Protestannaidd, a'r Piwritaniaid.

Ond ceid ffurf arall ar Fethodistiaeth hefyd, sef Methodistiaeth *Wesleaidd*. Gwrthodai'r brodyr John a Charles Wesley y syniad fod Duw yn dewis pobl, gan ddadlau fod gan bob un y gallu i gredu'r neges am iachawdwriaeth yn Iesu Grist. Yn eu barn nhw, nid sicrhau iachawdwriaeth

Trefeca

bendant a phenodol i'w bobl etholedig yn unig a wnaeth
marwolaeth Crist, ond gwneud iachawdwriaeth pawb yn
bosibl—dim ond iddynt gredu yng Nghrist.

Er i'r ddwy garfan gydweithio am gyfnod, ac er i Howel
Harris yn arbennig geisio'n ddyfal gadw ysbryd undeb
rhyngddynt, bu ymwahanu maes o law. Pregethodd John
Wesley yng Nghymru droeon lawer, gan sefydlu seiadau
Saesneg mewn lleoedd megis Caerdydd, Abertawe, a Ffwl-y-
mwn ym Mro Morgannwg. Ni chafwyd gwir gychwyn i
Fethodistiaeth Wesleaidd Gymraeg cyn i Owen Davies
(1752–1830) a John Hughes (1776–1843) fynd ati i ymgyrchu'n
frwd yn ardal Rhuthun o 1800 ymlaen.

Tra roedd cyfraniad y ffurf Wesleaidd ar Fethodistiaeth yn
ddigon pwysig mewn ambell ardal, o gymryd Cymru'n
gyfan ni fu'n ddylanwad mawr. At ei gilydd roedd yr
Annibynwyr a'r Bedyddwyr yr un mor Galfinaidd eu cred â
Harris, Rowland, a Williams. Roedd tinc Calfinaidd amlwg
hefyd i'r Deugain Erthygl Namyn Un, sef safon athrawiaethol
Eglwys Loegr, er nad oedd pob un o glerigwyr na
mynychwyr yr Eglwys o angenrheidrwydd yn eu harddel.
Nid neges newydd a oedd gan y Methodistiaid, felly, ond
bywyd newydd mewn hen neges.

Iarlles Huntingdon

Y Tadau Methodistaidd

Roedd tri arweinydd amlwg i'r mudiad Methodistaidd yng Nghymru yn ystod ei ddyddiau cynnar:

Howel Harris (1714–73)

'Mewn twym ias' yw disgrifiad trawiadol Pantycelyn o sut y daeth Harris i'r amlwg gyntaf, ac mae'n dweud llawer am y dyn anghyffredin hwn. Ni fu neb yn fwy dewr na diflino ymhlith y Methodistiaid. Yn ystod y blynyddoedd cynnar, teithiai'n ddi-baid, pregethai bob cyfle a gâi ('cynghori' oedd y gair a ddefnyddiai, am nad oedd wedi ei ordeinio'n swyddogol yn Eglwys Loegr), casglai'r Cristnogion newydd ynghyd er mwyn eu dysgu yn y ffydd, dioddefai bob math o erledigaeth, ond ni phallodd y 'twym ias'.

Fe'i ganed yn Nhrefeca, ger Talgarth, sir Frycheiniog. Cafodd dröedigaeth yn 1735, a'r un flwyddyn derbyniodd brofiad arbennig o'r Ysbryd Glân a'i sbardunodd i ddechrau teithio o le i le, gan alw'n daer ar eraill i droi at Grist. Yn 1737 cyfarfu â Daniel Rowland yn Nefynnog, sir Frycheiniog, ac o hynny allan roedd yn amlwg fod 'mudiad' Methodistaidd ar gerdded yng Nghymru.

Roedd ganddo galon dyner: '*I love to love*', meddai un tro. Ond roedd ganddo hefyd bersonoliaeth awdurdodol, a bu hyn—ynghyd â rhai o'i syniadau diwinyddol a'i barodrwydd i wrando ar 'broffwydoliaethau' honedig Madam Sidney Griffith—yn achos tyndra rhyngddo a'i gyd-arweinwyr Methodistaidd. Yn 1750 ciliodd oddi wrthynt, gan sefydlu 'Teulu' yn Nhrefeca, cymuned o Gristnogion a oedd i raddau helaeth yn hunan-gynhaliol—'rhyw fynachlog fawr', chwedl Pantycelyn. Bu cymod rhyngddo a'r lleill erbyn 1762, ac aeth ati eto i deithio'r wlad yn frwd er mwyn annog pobl i gredu'r efengyl.

'Egni' yw'r gair a ddaw i'r meddwl yn syth wrth geisio cyfleu Howel Harris. A fu Cymro erioed mor egnïol ag ef? Yn wir, a fu Cristion erioed mor egnïol?

Daniel Rowland (1713–90)

Rowland oedd pregethwr mawr y Methodistiaid cynnar. Yn wir, nid gormodiaith fyddai honni mai ef oedd un o bregethwyr mwyaf Cymru, onid y byd i gyd, erioed.

Er ei fod eisoes yn gurad yn Eglwys Loegr (plwyf Llangeitho, Ceredigion), cafodd dröedigaeth yn 1735, dan bregethu Griffith Jones. Gyda chymorth Philip Pugh (1679–1760), gweinidog gyda'r Annibynwyr yn y cylch, datblygodd doniau Rowland fel pregethwr, a daeth Llangeitho yn ganolfan y deuai torfeydd o bob rhan o Gymru iddi, yn enwedig ar Sul y Cymun. O ganlyniad i effeithiau cynhyrfus adfywiad 1762, fe'i diswyddwyd gan yr awdurdodau eglwysig, a chodwyd capel iddo gan y Methodistiaid, eto yn Llangeitho, er mwyn iddo fedru parhau i bregethu.

Yn nechrau ei weinidogaeth pregethai'n aml ar ddeddf Duw, gan beri ofn a dychryn i bobl wrth ddangos eu bod yn euog o droseddu yn erbyn Duw ac felly'n wynebu barn a chondemniad. Chwedl Pantycelyn,

> Boanerges oedd ei enw,
>   Mab y daran danllyd gref,
> Sydd yn siglo yn ddychrynllyd
>   Holl golofnau dae'r a nef;
> 'Dewch, dihunwch,' oedd yr atsain,
>   'Y mae'n dinas ni ar dân;
> Ffowch oddi yma mewn munudyn,
>   Ynte ewch yn ulw mân.'

Ond wrth iddo aeddfedu yn y ffydd daeth nodyn arall i'r amlwg ochr yn ochr â'r pwyslais ar farn Duw, sef gwaith achubol Iesu Grist wrth farw ar y groes:

> 'N ôl pregethu'r ddeddf dymhestlog
>   Rai blynyddau yn y blaen,
> A rhoi llawer yn friwedig,
>   'N awr cyfnewid wnaeth ei gân;
> Fe gyhoeddodd iachawdwriaeth
>   Gyflawn, hollol, berffaith, lawn,
> Trwy farwolaeth y Meseia
>   Ar Galfaria un prynhawn.

Roedd Rowland yn fwy sefydlog ei ddiwinyddiaeth a'i bersonoliaeth na Howel Harris, a bu'n cydweithio'n hapus ac yn effeithiol am flynyddoedd lawer â Williams Pantycelyn.

William Williams, Pantycelyn (1717–91)

Yn frodor o blwyf Llanfair-ar-y-bryn, ger Llanymddyfri, sir Gaerfyrddin, Williams oedd emynydd a llenor Methodistiaeth. Crisialai yn ei waith y profiad cynhyrfus a ddeuai yn sgil tywalltiadau nerthol o'r Ysbryd Glân. Yr un pryd, roedd ei ddiwinyddiaeth yn drwm dan ddylanwad Protestaniaeth a Phiwritaniaeth, ac wedi ei gwreiddio'n ddwfn yn y Beibl. Wrth gyfuno ei brofiad a'i ddiwinyddiaeth mewn modd mor feistraidd, Williams oedd y 'Methodist Calfinaidd' *par excellence*.

Ymhlith ei gyhoeddiadau ceir casgliadau o'i emynau, cerddi hir (*Golwg ar Deyrnas Crist* a *Bywyd a Marwolaeth Theomemphus*), a marwnadau i Fethodistiaid eraill. Lluniodd hefyd weithiau rhyddiaith pwysig sy'n dangos ei ddiwylliant eang, ei ffraethineb naturiol, a'i ddychymyg bywiog. Diben y cyfan oedd helpu'r rhai a oedd wedi dod yn Gristnogion drwy eu hadeiladu yn eu ffydd a chynnig cyngor ymarferol wrth iddynt wynebu materion megis priodi, peryglon cenfigen, a'u perthynas â'r byd o'u hamgylch.

I'r un perwyl bu'n bregethwr teithiol yn eu plith ac yn arolygydd seiadau, lle byddai'n rhagori mewn arwain yr aelodau i ddeall eu profiadau ysbrydol yn gywir. Mae ei lyfr *Drws y Society Profiad* (1777) yn cynnwys disgrifiad diddorol o'r hyn a ddigwyddai yn y seiadau, a chyfarwyddyd ynghylch cynorthwyo ac annog y gwahanol aelodau yn eu bywyd ysbrydol.

Serch hynny, am ei emynau y cofir Williams yn fwyaf arbennig. Does neb tebyg iddo am gyfuno profiad dwys a diwinyddiaeth gadarn mewn emyn. 'Y Pêr Ganiedydd' yw'r teitl a roddir iddo'n aml (gan adleisio'r teitl a roddir i Dafydd, brenin a salmydd Israel, yn 2 Samuel 23:1), ac anodd anghytuno.

Rhan o gerflun o Ann Griffiths

Y pennill cyntaf a ysgrifennodd Ann Griffiths
(yn ôl traddodiad)

O fy enaid, gwêl addasrwydd
   Y person dwyfol hwn;
Mentra arno'th fywyd,
   A bwrw arno'th bwn;
Mae'n ddyn i gydymdeimlo
   Â'th holl wendidau i gyd,
Mae'n Dduw i gario'r orsedd
   Ar ddiafol, cnawd, a byd.

Dylanwad Methodistiaeth

Rhwng pob peth, bu dylanwad Methodistiaeth (yn ei hystyr ehangaf) ar fywyd Cymru yn aruthrol:

- Ffurfiwyd enwad crefyddol newydd yn 1811, Methodistiaid Calfinaidd Cymru (Eglwys Bresbyteraidd Cymru bellach, ond 'Yr Hen Gorff' ar lafar gwlad), sef yr enwad Anghydffurfiol mwyaf a welwyd yng Nghymru hyd yn hyn. Eglwyswyr cyson oedd y Methodistiaid cynnar, ac am flynyddoedd maith bu cryn amharodrwydd yn eu plith i ymadael ag Eglwys Loegr. Maes o law, fodd bynnag, gwelai'r Methodistiaid fod llai a llai o groeso iddynt o fewn yr Eglwys, a daeth ymadael yn anochel.

- Gwnaeth gyfraniad o'r pwys mwyaf i fywyd ysbrydol a llenyddol Cymru — er enghraifft, drwy waith emynwyr hynod ddisglair megis Williams Pantycelyn, Ann Griffiths (1776–1805), a Morgan Rhys (1716–79). Mudiad *Cymraeg* ei iaith yn bennaf oedd Methodistiaeth yng Nghymru.

- Cafodd yr 'hen' Ymneilltuwyr — yr Annibynwyr a'r Bedyddwyr yn bennaf — a rhai elfennau yn Eglwys Loegr hefyd ran yn y deffroad cyffredinol. Fel y gwelsom eisoes, roedd y rhain ymhell o fod yn hollol farw cyn dyfodiad Methodistiaeth, ond ni ellir gwadu'r cynnydd amlwg yn eu plith yn sgil yr adfywiad. Wrth reswm, daeth rhywfaint o dyndra i'r golwg rhyngddynt a'r Methodistiaid ar adegau, yn enwedig oherwydd tuedd rhai o'r Methodistiaid cynnar i fynd dros ben llestri yn eu brwdfrydedd. Ond gydag amser daeth deffroad ysbrydol helaeth i ran llawer eglwys an-Fethodistaidd, gan eu llenwi â sêl a bwrlwm o'r newydd.

- Cafodd llawer un dröedigaeth ysbrydol a oedd yn golygu perthynas newydd â Iesu Grist a dyhead ysol i fyw mewn ufudd-dod iddo. I raddau oherwydd y defnydd o'r Gymraeg, effeithiwyd yn ddwfn ar bob haen gymdeithasol, gan gynnwys yr elfennau isaf. O ganlyniad, newidiwyd bywydau unigolion a theuluoedd, weithiau'n chwyldroadol. Nid cynnig dihangfa rhag helyntion bywyd a wnâi eu ffydd, ond yn hytrach eu hannog i wynebu siomedigaethau a cholledion yn llawn dewrder a gobaith. Gwelid cyfuniad arbennig o ruddin ac urddas yng ngwerin

Cymru dros flynyddoedd lawer oherwydd effaith crefydd feiblaidd ar y wlad.

- Yn olaf, bu canlyniadau — ac weithiau densiynau — cymdeithasol. Am amser maith bu'r Methodistiaid yn amharod i ymyrryd yn ormodol â materion gwleidyddol. Ond o'r 1840au ymlaen, daethant i ochri mwyfwy gyda'r Anghydffurfwyr eraill. Y canlyniad oedd creu'r gwareiddiad Cristnogol arbennig hwnnw, yn cynnwys gwleidyddiaeth, addysg, diwylliant, ac agwedd gyffredinol at y byd, a oedd mor nodweddiadol o'r bedwaredd ganrif ar bymtheg yng Nghymru.

Mae perygl amlwg rhoi gormod o sylw i bwysigrwydd Methodistiaeth, ond amhosibl yw anwybyddu'r mudiad. Ni ellir bwrw golwg dros y ddeunawfed ganrif heb deimlo peth o'r cyffro a siglai'r wlad. *Digwyddodd* rhywbeth. A byddai'r effeithiau i'w gweld am genedlaethau.

Profiad Thomas Charles wrth wrando ar Daniel Rowland yn pregethu

'Ionawr 20, 1773, euthum i wrando y Parch. Daniel Rowland . . . Ei destun oedd yn Heb. 4:15 . . . Dyna'r pryd yr argyhoeddwyd fi gyntaf o'r pechod o anghrediniaeth, neu o gynnwys meddyliau culion, bychain, a chaled am yr Hollalluog. Gyda hynny, cefais y fath olwg ar Grist fel ein Harchoffeiriad, ar ei gariad, ei dosturi, ei allu, a'i holl-ddigonedd, ag a lanwodd fy enaid â syndod, ie, "â llawenydd anhraethadwy a gogoneddus". . . . Yr oedd gennyf o'r blaen ryw ddarluniad o wirioneddau yr efengyl, megis yn nofio yn fy mhen; ond erioed hyd y tro hwn ni threiddiasant i'm calon gydag effeithiolaeth a nerth dwyfol.'

Cerflun Daniel Rowland yn Llangeitho

Thomas Charles (1755–1814)

Er mai â'r Bala y cysylltir enw Thomas Charles, cafodd ei eni ym mhlwyf Llanfihangel Abercywyn, sir Gaerfyrddin. Profodd dröedigaeth dan bregethu Daniel Rowland; aeth yn fyfyriwr i Goleg yr Iesu, Rhydychen; ac yna bu'n gurad yng Ngwlad yr Haf am rai blynyddoedd. Ond Cymru—a merch o'r enw Sally Jones o'r Bala—a oedd yn ei galon ar hyd ei amser yno. Daeth yn ôl i'w wlad enedigol, ond pan wrthodwyd ei wasanaeth gan wahanol blwyfi yng ngogledd Cymru penderfynodd ymuno â'r Methodistiaid yn y Bala.

Thomas Charles oedd un o gymwynaswyr pennaf Cymru. Roedd yn ddyn hynod gytbwys ei agwedd a'i ymddygiad, yn gynnes ei bersonoliaeth ond yn gadarn ei ddaliadau. Roedd yn perthyn i'r ail genhedlaeth o Fethodistiaid, a gwelai'n glir fod angen dysgu'r llu o Gristnogion newydd er mwyn eu meithrin yn y ffydd. O ganlyniad, aeth ati'n ddiwyd iawn i geisio darparu'n helaeth ar eu cyfer, gan adael ei ôl ar fywyd Cymru am flynyddoedd lawer i ddod. Dyma rai o'r meysydd lle roedd ei gyfraniad yn amlwg:

♦ *Addysg.* Ailgydiodd yng ngwaith Griffith Jones, Llanddowror, gan sefydlu patrwm newydd o ysgolion cylchynol. Yn bwysicach o dipyn, aeth ati i yn hyrwyddo ysgolion Sul—sefydliad a fu'n drwm iawn ei ddylanwad ar genedlaethau o Gymry.

♦ *Llenyddiaeth.* Cyhoeddodd lu o gyfrolau, gan gynnwys nifer at ddefnydd yr ysgolion Sul. Y mwyaf nodedig ohonynt oedd

▸ *Trysorfa Ysprydol*, y cylchgrawn Cristnogol cyntaf i'w gyhoeddi yn Gymraeg.

▸ *Geiriadur Ysgrythyrol*, cyfrol sylweddol a fu'n fawr ei chynnwys, ei pharch, a'i dylanwad.

▸ *Hyfforddwr yn Egwyddorion y Grefydd Gristionogol*, holwyddoreg bach syml a fu'n fodd i egluro hanfodion y ffydd, yn enwedig i

blant, yn yr ysgolion Sul ac ar yr aelwyd.

Ond nid llai pwysig oedd ei ymdrechion i sicrhau digon o Feiblau Cymraeg ar gyfer Cristnogion ifainc, yn rhannol o ganlyniad i'r cais enwog gan Mary Jones (1782–1864), y ferch a gerddodd y pum milltir ar hugain o Lanfihangel-y-Pennant i'r Bala er mwyn gofyn iddo am Feibl. Bu ef ei hun yn olygydd ar argraffiadau o'r Beibl a gyhoeddwyd yn 1807 ac 1814. Ac o ganlyniad i'w alw am ragor o Feiblau Cymraeg, sefydlwyd Cymdeithas y Beibl yn 1804.

♦ *Methodistiaeth.* Charles a dderbyniodd arweinyddiaeth y Methodistiaid Calfinaidd ar ôl marw'r arloeswyr cynnar. Maes o law, ac ar ôl llawer o betruso, bu'n gyfrifol am greu corff Methodistaidd ar wahân yn 1811. Wedi'r 'twym ias', roedd angen rhywun doeth i sicrhau fod y mudiad yn fwy sefydlog a chytbwys. A Thomas Charles oedd hwnnw.

6—Gobaith a Gofid

Agafodd Cymru ei thrawsnewid dros nos gan yr adfywiad a gysylltir â Methodistiaeth ond a effeithiodd mewn gwirionedd ar yr enwadau eraill hefyd? Go brin. Efallai mai yn ystod ail hanner y bedwaredd ganrif ar bymtheg, yn sgil adfywiad 1858–60, y gwelwyd cynnydd mwyaf Cristnogaeth o ran niferoedd. Ond mae'n bwysig cofio hefyd y bu cyfres o adfywiadau ar hyd hanner cyntaf y ganrif honno. Canlyniad y rhain oedd twf sylweddol ymhlith yr eglwysi, a dylanwad Cristnogaeth yn ymestyn yn ddyfnach i lawer agwedd ar fywyd y genedl.

Henry Rees

Oes Aur?

A oes y fath beth ag 'Oes Aur' yn hanes Cristnogaeth yng Nghymru? Gwelsom eisoes fod cyfnod arbennig yn ôl yn Oes y Seintiau, cyfnod pryd yr oedd yr arweinwyr yn brwydro o blaid gras Duw yn Iesu Grist, gan wrthod heresi Pelagius. Yr unig gyfnod arall sy'n gallu cymharu â hwnnw yw hanner cyntaf y bedwaredd ganrif ar bymtheg, pryd y ceid yr un pwyslais allweddol ar athrawiaeth gras. Dyma rai o nodweddion amlwg y cyfnod:

• Grym anghyffredin yn y pregethu, gyda chewri megis John Elias (1774–1841; Môn; Methodist Calfinaidd), Christmas Evans (1766–1838; brodor o ardal Llandysul, Ceredigion; Bedyddiwr), William Williams (1781–1840; o'r Wern, ger Coed-poeth, sir Ddinbych; Annibynnwr), a Henry Rees (1798–1869; o Lansannan, sir Ddinbych, a Lerpwl; Methodist Calfinaidd, y mwyaf o'r cwbl, efallai) yn hynod eu doniau. Peth digon cyffredin gyda phregethwyr ym mhob un o'r prif enwadau oedd profi presenoldeb ac eneiniad yr Ysbryd Glân wrth iddynt bregethu. O ganlyniad, roedd rhyw awdurdod neilltuol yn nodweddu eu neges.

Y Ffydd yng Nghymru	Hanes a Llên Cymru	Yr Eglwys Ehangach	Y Byd yn Gyfan
		William Wilberforce, 1759-1833	
			G. W. F. Hegel, `1770-1831
John Elias, 1774-1841			
Ann Griffiths, 1776-1805			
Christmas Evans, 1776-1838			
William Williams o'r Wern, 1781-1840			
1787 Thomas Charles yn cychwyn ei ysgolion Sul			
Henry Rees, 1798-1869			
1800-50 Oes aur pregethu			
1800 Cychwyn Wesleaeth Gymraeg		Arglwydd Shaftesbury, 1801-85	
	1804 Cychwyn *The Cambrian*	**1804** Sefydlu Cymdeithas y Beibl	**1801** Ffurfio'r Deyrnas Unedig (gydag Iwerddon)
Lewis Edwards, 1809-87			
1811 Ffurfio Cyfundeb Methodistiaid Calfinaidd Cymru	**1814** Cychwyn *Seren Gomer*	David Livingstone, 1813-73	**1815** Trechu Napoleon yn Waterloo
1817 Adfywiad Beddgelert yn cychwyn			Karl Marx, 1818-83
1822 Sefydlu Coleg Dewi Sant, Llanbedr Pont Steffan			Louis Pasteur, 1822-95
1823 *Cyffes Ffydd* y Methodistiaid Calfinaidd			
	1826 Agor pont Telford dros y Menai		
Thomas Charles Edwards, 1837-1900	Daniel Owen, 1836-95	**1833** Cychwyn Mudiad Rhydychen (Eingl-Gatholig)	
	1839 Y Siartwyr yn gorymdeithio i Gasnewydd	C. H. Spurgeon, 1834-92	
	1839-44 Helyntion 'Beca'		
	1847 'Brad y Llyfrau Gleision'	Thomas Barnardo, 1845-1905	
	1850au Cychwyn y diwydiant glo yn y Rhondda		
	1856 Cyfansoddi 'Hen Wlad fy Nhadau'		
1858-60 Adfywiad (Dafydd Morgan)			**1859** *Origin of Species* (Darwin)
	David Lloyd George, 1863-1945		**1860au** Dechrau cyfnod yr Argraffiadwyr
			1864 Sefydlu'r Groes Goch
	1865 Sefydlu'r Wladfa ym Mhatagonia	**1865** Sefydlu Byddin yr Iachawdwriaeth	
	1872 Agor Coleg yn Aberystwyth		**1875** Dyfeisio'r teleffon (Bell)
1891 Sefydlu'r Symudiad Ymosodol			

- Cywirdeb mewn athrawiaeth, a mesur helaeth o gytundeb, ar draws y prif enwadau, er bod peth cynhyrfu'r dyfroedd o bryd i'w gilydd. Bu dylanwad eang *Geiriadur Ysgrythyrol* Thomas Charles yn bwysig yn hyn o beth. Ei gyfaill Thomas Jones, Dinbych, oedd ar lawer cyfrif y diwinydd mwyaf yn hanes Cymru. Yng Nghyffes Ffydd y Methodistiaid Calfinaidd (1823) cafwyd datganiad cryno a chadarn o wirioneddau hanfodol Cristnogaeth. Ac roedd yn ddatganiad a gytunai'n fras â daliadau'r Annibynwyr a'r Bedyddwyr, a hefyd â Deugain Erthygl Namyn Un yr Eglwys Wladol. Roedd y prif enwadau felly i gyd yn hollol efengylaidd eu cred swyddogol.

- Cyfres o adfywiadau neu ddiwygiadau, yn arwain at sêl dros gyflwyno'r efengyl i Gymru gyfan—a thros y môr hefyd. Dyma rai a fentrodd i wledydd tramor:

  ‣ John Davies (1772–1855), a aeth o Lanfihangel-yng-Ngwynfa, Maldwyn, yr holl ffordd i Tahiti yn 1800.

  ‣ Thomas Coke (1747–1814) o Aberhonddu, a fu'n allweddol mewn datblygu cynlluniau cenhadol gyda'r Methodistiaid Wesleaidd yn America, Iwerddon (trwy gyfrwng Gwyddeleg), a'r India.

Christmas Evans

Bedydd yn Llanbadarn Fawr, 1840

David Jones a David Griffiths

Y cwestiwn mawr

Ai am fy meiau i
Dioddefodd Iesu mawr,
Pan ddaeth yng ngrym ei gariad Ef
O entrych nef i lawr?

Rhan o emyn gan John Elias

▸ David Jones (1797–1841) o Neuadd-lwyd, Ceredigion, a fu'n arloesi gyda gwaith cenhadol ym Madagascar o 1818 ymlaen. Bu farw ei wraig a'i blentyn yn fuan ar ôl glanio yno; bu farw hefyd ei gyd-weithwyr (Thomas Bevan a'i deulu); ac fe brofai lawer o erledigaeth. Ond daliai ati. Maes o law daeth David Griffiths (1792–1863), brodor o Wynfe, sir Gaerfyrddin, i roi cymorth iddo; gyda'i gilydd, gwnaethant gyfraniad aruthrol i dwf Cristnogaeth ar yr ynys.

▸ Y llif cyson o genhadon a aeth, o 1840 ymlaen, i gymryd rhan yng ngwaith pwysig Methodistiaid Calfinaidd Cymru ar Fryniau Casia yn yr India.

Yn ddiweddarach yn y ganrif bu gan Griffith John (1831–1912) o Abertawe a Timothy Richard (1845–1919) o Ffaldybrenin, sir Gaerfyrddin, gyfraniadau pwysig i dwf Cristnogaeth yng ngwlad fawr Tsieina, er i syniadau diwinyddol Richard beri problemau yn y pen draw. Merthyrwyd Robert Thomas (1840–66), brodor o Raeadr Gwy, sir Faesyfed, wrth geisio mynd â'r efengyl i Corea. Yn nes adref, roedd i Lydaw le arbennig yng nghalonnau'r Cymry oherwydd y cysylltiad Celtaidd.

Cymhellion ysbrydol yn bennaf a yrrodd y cenhadon i wledydd eraill, awydd i alw pobl i gredu yn Iesu Grist fel Gwaredwr gerbron Duw. Wynebai llawer ohonynt galedi ac erledigaeth, ond roeddynt yn barod i ddioddef felly oherwydd iddynt gredu i Fab Duw ddioddef i'r eithaf drostyn nhw. Mae'n bosibl i ambell un ddangos diffyg sensitifrwydd o dro i dro tuag at arferion brodorol diniwed y gwledydd y buont yn gweithio ynddynt. Ond yn gyffredinol, daeth llawer iawn o fanteision cymdeithasol ac addysgiadol — heb sôn am ffrwyth ysbrydol — i'r gwledydd hyn yn dilyn gweithgarwch aberthol y cenhadon o Gymru.

Gwareiddiad Cristnogol

Am yr unig dro erioed yn hanes Prydain cynhaliwyd cyfrifiad crefyddol yn 1851. Bu cryn ddadlau rhwng yr enwadau ynghylch ei werth a'i ganlyniadau, ond roedd un peth yn ddigon amlwg: roedd nifer yr oedfaon, yr adeiladau, a'r rhai oedd yn mynychu'r cyfarfodydd (fel canran o'r boblogaeth gyfan) yn llawer uwch yng Nghymru nag yn Lloegr. Erbyn canol y ganrif, ni ellid gwadu fod Cristnogaeth yn rym pwysig yn y tir, fel y gwelir yn y ffordd y rhoddai cynifer o gapeli—gan ddilyn patrwm y llannau gynt—eu henw i'r cymunedau pentrefol y safent yn eu canol. Roedd y dylanwad hwn i gynyddu eto yn sgil adfywiad 1858–60, sef yr adfywiad ehangaf oll yn ystod y ganrif.

Canlyniad y cynnydd aruthrol hwn oedd datblygiad rhyw fath o 'wareiddiad' Cristnogol, yn seiliedig i raddau helaeth ar egwyddorion y Beibl. Gellir nodi nifer o elfennau canolog yn y gwareiddiad hwn:

- *Cerddoriaeth*—yr emynau mawr ar y Sul; y cantatas a'r anthemau ar achlysuron arbennig; y corau; y gymanfa ganu o'r 1870au ymlaen; cyngherddau; yr eitemau cerddorol mewn eisteddfodau lu.

- *Llenyddiaeth* – y llyfrau diwinyddol, esboniadol, a hanesyddol; yr egin nofelau, lle y rhoddid lle amlwg i hanfod ysbrydol y cymeriadau; diddordeb anghyffredin mewn barddoniaeth, yn enwedig ar themâu beiblaidd; y cylchgronau enwadol a thrawsenwadol; y '*penny-readings*'; y cystadlaethau llenyddol mewn eisteddfodau; ac yn fwy na dim, y Beibl ei hun, gyda'i amrywiaeth o ffurfiau llenyddol a'i iaith goeth, safonol. Roedd deg cyfrol swmpus y *Gwyddoniadur Cymreig* (1854–79; ailargraffiad, 1889–96), yn enghraifft glodwiw o ysgolheictod eang

Pregethu Henry Rees

'Ni welsom neb erioed yn gallu gwneud y fath *havoc* ar y galon ddynol! . . . bydd ei eiriau yn chwalu gau noddfeydd y pechadur anedifeiriol, yn difa ei wag esgusodion, yn dinoethi dirgeloedd ei galon . . . nes y bydd, wedi ei lwyr ymlid o bob lloches, yn cael ei "gyd-gau" i ffydd yr Efengyl.'

Capel Heol Dŵr, Caerfyrddin yn 1813

mewn perthynas agos â chred ym mhenarglwyddiaeth hollgynhwysfawr Duw.

- *Addysg* — yr ysgolion Sul, mawr eu dylanwad, lle y dysgid ac y trafodid y Beibl; yr Ysgolion Cenedlaethol (Anglicanaidd) a'r Ysgolion Brutanaidd (Anghydffurfiol) — ysgolion wedi eu cynnal i raddau helaeth gan roddion gwirfoddol aelodau'r eglwysi; addysg uwch ar ffurf Coleg Diwinyddol Dewi Sant (Anglicanaidd) yn Llanbedr Pont Steffan (1822) neu Goleg Aberystwyth (1872), a sefydlwyd gyda chefnogaeth frwd yr Anghydffurfwyr; a'r addysg lai ffurfiol a ddeuai trwy wrando ar bregeth a darlith, neu ddarllen y Beibl a llyfrau Cristnogol.

- *Cymuned* – Roedd perthyn i eglwys neu gapel yn golygu bod yn aelod o gymdeithas glòs, weithgar, ofalgar. Nid peth anghyffredin oedd i eglwysi sefydlu cronfa ariannol er lles aelodau anghenus. Yn swyddogol, o leiaf, roedd i'r holl aelodau yr un breintiau a'r un cyfrifoldebau, beth bynnag fo'u statws cymdeithasol. Yr un modd, roedd dal swydd mewn eglwys i fod yn seiliedig nid ar gefndir nac arian ond ar gymwysterau ysbrydol. Yng nghanol newidiadau yn yr ardaloedd diwydiannol ac yng nghefn gwlad fel ei gilydd, roedd yr ymdeimlad hwn o gymuned yn dra phwysig.

Gweledigaeth y pensaer ar gyfer adeilad Coleg Aberystwyth

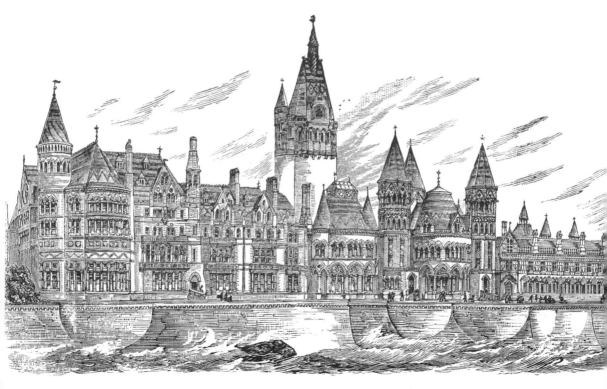

- *Hunan-hyder*—Trwy'r eglwysi a'r capeli meithrinwyd hunan-hyder newydd. Roedd y gwareiddiad Cristnogol hwn i raddau helaeth yn annibynnol ar y llywodraeth ac unrhyw gefnogaeth swyddogol. Roedd yn hunan-gynhaliol, er gwaethaf diffyg adnoddau ariannol amlwg. Roedd yn hunan-lywodraethol, gyda'i arweinwyr ei hun—y gweinidogion, gyda llawer ohonynt wedi codi o gefndir tlawd a difreintiedig. Ac roedd ganddo ei drefniadaeth led-ddemocrataidd ei hun (a fu'n hwb i ryw raddau i dwf syniadau democrataidd mewn agweddau eraill ar fywyd), drwy'r lle a roddid i hawliau pob un yn y gwahanol eglwysi.

- *Moesoldeb*—Roedd ganddo hefyd ei safonau moesol ei hun. Er cydnabod pob rhagrith a chulni yn y gymdeithas, roedd y safonau hyn yn gyfrifol am hybu ymddygiad gonest a pharch at bobl eraill. Nod y mudiad dirwest, er enghraifft, oedd symud llawer o'r drygau a effeithiai'n helaeth ar deuluoedd oherwydd goryfed alcohol. Yn gryno, roedd Cymru'n well gwlad i fyw ynddi oherwydd y parch cyffredinol at safonau Cristnogol.

Cartŵn yn darlunio 'Cymru' yn taflu'r comisiynwyr addysg i'r môr

Nid syndod, felly, oedd y brotest hir a grymus yn erbyn yr ymosodiad ar foesoldeb y Cymry a gyhoeddwyd yn adroddiadau comisiynwyr y llywodraeth ar addysg yn 1847. Tynnwyd sylw yn blwmp ac yn blaen at y ffaith mai Anglicaniaid o Loegr oedd pob un o'r comisiynwyr: ni fedrent air o Gymraeg, a seiliasant eu casgliadau yn bennaf ar dystiolaeth eu cyd-Eglwyswyr yng Nghymru—a llawer o'r rheini'n barod iawn i fanteisio ar y cyfle i feio'r Anghydffurfwyr am bob math o ddrygau cymdeithasol. Cododd llais ar ôl llais i bleidio achos y Cymry, gan gondemnio 'Brad y Llyfrau Gleision' yn hallt a chyflwyno dadleuon lu er mwyn herio eu honiadau.

Wrth amddiffyn moesoldeb y Cymry, tuedd llawer un oedd sôn am y genedl

'Gwlad yr Adfywiadau'

Rhwng 1762 ac 1862 bu o leiaf bymtheg o adfywiadau crefyddol a effeithiai'n helaeth ar eglwysi Cymru, gyda'u canlyniadau'n gorlifo i'r gymdeithas oddi amgylch. Roedd adfywiad 1762 yn Llangeitho yn arbennig o bwysig i'r Methodistiaid, am iddo ddwyn i ben gyfnod braidd yn ddilewyrch yn eu hanes. Cafodd adfywiad Beddgelert (1817 ymlaen) ddylanwad ar rannau helaeth o'r gogledd, a theimlodd Cymru benbaladr effaith adfywiad 1858–60, dan arweiniad Dafydd Morgan (1814–83) o Ysbyty Ystwyth a Humphrey Jones (1832–95) o Dre'r-ddôl, Ceredigion. Adfywiadau mwy lleol neu lai parhaol eu canlyniadau oedd y lleill, ond ni ellir gwadu eu pwysigrwydd yn hanes Cristnogaeth yng Nghymru.

Y farn gyffredin am adfywiad o'r fath yw mai cyfnod o emosiwn gwyllt a chanu afreolus ydyw. Ond nid dyna hanfod adfywiad mewn gwirionedd. Dyma sylw Jonathan Edwards (1703–58), diwinydd mwyaf America (ac un o dras Cymreig), a brofodd adfywiadau nerthol yn ei weinidogaeth ei hun:

> Er bod dylanwad mwy cyson Ysbryd Duw yn wastadol i ryw raddau yn cyd-fynd

â'i ordinhadau, eto i gyd y ffordd y mae'r pethau mwyaf bob amser wedi eu cyflawni tuag at gario'r gwaith hwn ymlaen yw trwy dywalltiadau hynod ar adegau arbennig o drugaredd.

Hynny yw, canlyniad rhoi'r Ysbryd Glân i'r Eglwys yn fwy helaeth ac yn fwy grymus yw adfywiad. Mae'r Ysbryd Glân bob amser gyda phobl Iesu Grist; ond ar adegau arbennig mae'n cael ei 'dywallt' arnynt. Mae hyn yn esgor ar chwyldro ym mywyd yr eglwys—deffro'r Cristnogion, eu llenwi â sêl a hyder newydd, a datgan realiti'r ffydd Gristnogol yn effeithiol i'r gymdeithas oddi amgylch, gyda chynnydd sylweddol wedyn yn y nifer sy'n troi at Iesu Grist.

Un o freintiau mwyaf Cymru yw iddi brofi sawl adfywiad o'r fath yn ei hanes. I raddau helaeth, y rhain sydd wedi peri i Gristnogaeth gael dylanwad mor helaeth ar y genedl.

Sasiwn y Methodistiaid Calfinaidd yn y Bala, 1820. John Elias oedd un o'r pregethwyr.

fel 'Gwlad y Menig Gwynion' — cyfeiriad at yr arfer o gyflwyno pâr o fenig gwynion i farnwr mewn llys pan nad oedd achosion troseddol i'w barnu yno. Teg cydnabod, wrth gwrs, fod gormod o ramanteiddio yn yr enw hwn. Ffôl fyddai honni nad oedd troseddau difrifol byth yn codi yn y llysoedd. Ffolach fyth fyddai gwadu bodolaeth troseddau lu na ddaethant erioed gerbron llys. Ond ni ellir gwadu chwaith y ffaith i'r menig gwynion gael eu cyflwyno yn y llysoedd ar adegau, yn sail ac yn sylwedd i'r enw.

- *Cyfiawnder cymdeithasol* — Cafwyd ysgogiad i weithio tuag at hybu iawnderau dynol, at ddileu caethwasiaeth, at gynorthwyo plant amddifad a'r tlodion, at wella amodau byw a gweithio. Adfer urddas i bobl oedd un o ganlyniadau amlwg yr efengyl Gristnogol. Bu ymdrechion glew gan Gristnogion i sicrhau'r urddas hwn, yn wyneb llusgo traed gan yr awdurdodau.

Cartŵn yn dangos effeithiau niweidiol goryfed alcohol, 1836-7

Effaith adfywiad 1858–60 yn y Bala

'Yr oeddwn i ar y pryd yn yr Athrofa yn astudio pethau mawrion, ond heb erioed eu sylweddoli yn wirioneddau byw yn fy mhrofiad. Gwyddwn am brofion Butler o blaid sefyllfa ddyfodol, ac *Evidences* Paley o blaid Cristnogaeth. Teimlwn eu grym fel "arguments", ac ni allwn eu troi'n ôl, ond yr oeddwn mewn stad o amheuaeth gyda golwg ar y cyfan. Ond dyma ddau ddyn syml o sir Aberteifi yn dyfod i'r Bala, yn pregethu Iesu Grist yn syml, yn ddirodres, heb lawer o addysg na dawn ganddynt, ond yr oedd ganddynt fwy. Fe ddaeth tragwyddoldeb i'r oedfa, fe ddaeth y nefoedd i'r lle. Yr oedd llond y capel o dragwyddoldeb, llond y capel o Dduw. Yr oedd y lle'n ofnadwy: nid oedd ar neb eisiau profion Butler nac *Evidences* Paley . . . Yr oedd y cyfnewidiad a deimlais yn ddigon o dystiolaeth i mi o ddwyfoldeb Cristnogaeth. Yr oeddwn o'r blaen yn rhyw dalp o ddamnedigaeth, ac fe euthum yn yr oedfa yn greadur newydd.'

Thomas Charles Edwards

Coleg y Bala

Gobeithion

Mae'n rhaid cydnabod y diffygion, wrth gwrs. Roedd peth o'r llenyddiaeth a gynhyrchwyd, er enghraifft, o safon wirioneddol echrydus. Ond teg dweud mai o'r gwareiddiad Cristnogol hwn y tarddai'r rhan fwyaf o'r gweithgarwch cymdeithasol a diwylliannol a welid yng Nghymru yn ail hanner y bedwaredd ganrif ar bymtheg.

Doedd dim syndod, felly, fod gobeithion Cristnogion yng nghanol y ganrif yn eithriadol o uchel. Gyda'r math o gynnydd a fu eisoes, a rhagor o dir yn cael ei ennill yn gyson, nid oedd terfyn i'w hoptimistiaeth. Ac roedd hyn i gyd yn cyd-fynd â chred pobl oes Fictoria mewn cynnydd cyffredinol. Fel y canodd Watcyn Wyn,

> *Rwy'n gweld o bell y dydd yn dod, –*
> *Bydd pob cyfandir is y rhod*
> *Yn eiddo Iesu mawr . . .*

Roedd y weledigaeth hon bron o fewn cyrraedd wrth i bobl Cymru gamu i mewn i ail hanner y ganrif.

Dirywiad

Ond roedd siom a diflastod ar y gorwel. Mae wedi digwydd droeon lawer yn hanes yr Eglwys i gyfnod o lewyrch esgor ar gyfnod o ddirywiad, bron fel petai llwyddiant yn arwain at falchder a gorhyder, a Duw wedyn yn troi ei gefn ar Eglwys sy'n hunan-fodlon a hunan-ddigonol. Ac mae'n gwbl sicr i Gymru brofi tro ar fyd – er gwaeth – wrth i'r bedwaredd ganrif ar bymtheg symud yn ei blaen.

LEWIS EDWARDS (1809–87)

Ar ryw olwg Lewis Edwards oedd ffigur pwysicaf y ganrif yng Nghymru:

◆ Yn frodor o Ben-llwyn, Capel Bangor, Ceredigion, enillodd enw iddo'i hun drwy raddio ym Mhrifysgol Caeredin mewn cyfnod pan nad oedd addysg uwch ar gael yng Nghymru na Lloegr i Anghydffurfwyr.

◆ Wrth briodi wyres Thomas Charles, daeth yn aelod o un o deuluoedd enwocaf Cymru.

◆ Drwy agor ysgol yn y Bala yn 1837, a fabwysiadwyd maes o law gan y Methodistiaid Calfinaidd yn goleg diwinyddol iddynt, cafodd effaith aruthrol ar genedlaethau o fyfyrwyr a fu wedyn yn weinidogion ar hyd a lled y wlad.

◆ Trwy ei waith llenyddol—yn enwedig, efallai, *Y Traethodydd*, y cylchgrawn dylanwadol a gychwynnodd yn 1845—daeth ef a'i syniadau yn fwy adnabyddus fyth.

Mae Lewis Edwards yn cynrychioli llawer o'r hyn sydd orau am y ganrif honno. Does dim dwywaith am ei dduwioldeb, ei unplygrwydd, ei ddysg. Ac yn sicr does dim modd amau ei ddylanwad, na pharch pobl yn gyffredinol tuag ato. Petasai gan Gymru ei llywodraeth ei hun yn y ganrif honno, buasai Lewis Edwards yn ymgeisydd hynod o gryf ar gyfer swydd prif weinidog!

Ond gellir gweld ynddo hefyd rai agweddau cychwynnol ar y dirywiad a ddaeth i ran Cristnogaeth yng Nghymru:

◆ Ei bwyslais mawr ar barchusrwydd allanol.

◆ Y lle gormodol a digwestiwn a roddai i ysgolheictod academaidd. Roedd tueddd ynddo i groesawu syniadau o bob cyfeiriad, yn enwedig oddi wrth athronwyr neu ysgolheigion adnabyddus eraill, heb eu hasesu yng ngoleuni'r Beibl bob amser.

◆ Rhyw amharodrwydd i lynu wrth wirioneddau absoliwt y Beibl, i raddau dan ddylanwad Hegel, yr athronydd o'r Almaen.

◆ Ei frwdfrydedd eithriadol dros yr 'Inglis Côs'—hybu achosion Saesneg diangen mewn llawer o fannau (gan ddyrchafu addysg ac arferion Lloegr yr un pryd)—ar draul darparu'n well ar gyfer y Cymry Cymraeg a meithrin hyder iach yn eu Cymreictod.

Dim ond y dechreuadau a welwyd yn Lewis Edwards, ac roedd hen ddigon o agweddau iach ar ei gred a'i fywyd i wrthbwyso'r elfennau eraill. Ond i raddau oherwydd ei ddylanwad aruthrol ar feddwl y Cymry, cododd rhywrai ar ei ôl a gwthio ei syniadau lawer ymhellach. A bu canlyniadau anhapus iawn o'r herwydd, a dweud y lleiaf.

Ar yr wyneb, roedd popeth yn llewyrchus: mwy o bobl yn yr oedfaon; mwy o gapeli ac eglwysi'n cael eu hadeiladu a'u hehangu; mwy o ddylanwad mewn materion gwleidyddol a chymdeithasol. Ond dan yr wyneb tra gwahanol oedd y realiti, ac nid yn unig oherwydd methiant cynyddol i gyrraedd y gweithwyr yn yr ardaloedd diwydiannol.

Mae'n wir fod y dirywiad hwn yn amlochrog iawn. Ni ellir cynnig un achos cynhwysfawr sy'n egluro pob agwedd ar yr hyn a oedd yn bygwth Cristnogaeth feiblaidd yn ail hanner y ganrif, nid yn unig yng Nghymru ond mewn llawer gwlad arall yn y Gorllewin. Ond dyma rai nodweddion digon amlwg o'r dirywiad:

● *Allanolion*

Capel Tabernacl, Treforys, 'Y Cathedral Anghydffurfiol Cymraeg'

Roedd tuedd gynyddol i Gristnogaeth gael ei hystyried yn fawr ddim mwy na ffordd o fyw, gyda rheolau arbennig a manwl ar gyfer sut i gadw'r Sul, peidio ag yfed diodydd meddwol, ac ati. Ar barchusrwydd allanol yr oedd y pwyslais, yn hytrach nag ar berthynas real â Duw a duwioldeb mewnol. Ac roedd codi capeli crand, gydag organ urddasol a fyddai'n sicr o ddenu edmygedd pobl y capeli eraill, wrth gwrs, yn arwydd pellach o'r duedd hon.

Nofelau Daniel Owen (1836–95) sy'n darlunio'n fyw y tyndra, a'r rhagrith, a blagiai gymdeithas yn gyffredinol a'r eglwysi'n benodol o ganlyniad i'r sylw hwn i'r allanol. Disgrifia, er enghraifft, y modd y collai'r seiat ei phwyslais a'i gwerth ysbrydol: yn *Enoc Huws*, Susi Trefor, merch perchennog y gweithfeydd lleol ac felly'n berson o statws yn y gymdeithas, 'oedd y gyntaf i gael ei smyglo yn gyflawn aelod heb ei holi' o gwbl am ei chyflwr ysbrydol a'i pherthynas â Iesu Grist.

Mae'n bosibl i adfywiad 1858–60 hybu'r dirywiad hwn i raddau. Yn ystod yr adfywiad hwnnw, yn enwedig drwy'r dylanwadau Americanaidd a gyflwynwyd gan Humphrey Jones (1832–95), roedd pwyslais ar dderbyn proffes gyhoeddus o ffydd yn brawf diogel o wir dröedigaeth, a'r arferiad hwn a gariodd y dydd maes o law. Aeth y gwahanu gofalus rhwng y gwir a'r gau, a oedd mor nodweddiadol o seiadau'r hen Fethodistiaid, yn angof llwyr.

Diwinyddiaeth

O dipyn i beth tanseiliwyd y sylfeini athrawiaethol. Dechreuodd pobl ystyried yr hen gredoau Calfinaidd yn gul a chyfyng, gan alw'n frwd am ehangu gorwelion diwinyddol. Y canlyniad oedd gwanhau pileri cadarn y ffydd a gosod rhywbeth llawer mwy diafael a sentimental yn eu lle. Cafwyd enghraifft o'r newid hwn yn Syr Henry Jones (1852–1922), yr athronydd enwog o Langernyw, sir Ddinbych. Penderfynodd nad oedd ond un athrawiaeth a oedd yn werth ei chadw — 'Credaf yn Nuw sy'n gariad hollalluog' — a gwrthododd bob dysgeidiaeth arall.

Beirniadu'r Beibl

Law yn llaw â'r dirywiad diwinyddol, rhoddwyd croeso hefyd i syniadau o'r Almaen a danseiliai safle'r Beibl fel llyfr dilys a dibynadwy. Yn ara' deg y derbyniwyd y safbwyntiau beirniadol newydd i ddechrau, gyda chryn betruso, ond yn fwyfwy brwd wedyn, i raddau er mwyn bod yn y ffasiwn. Yn lle glynu wrth awdurdod dwyfol y Beibl cyfan, aethpwyd ati i amau rhai darnau, i wrthod darnau eraill, neu i honni fod rhannau helaeth eto i'w priodoli i syniadau cyfyng awduron dynol yr Ysgrythurau.

Arloeswr brwdfrydig yn y maes hwn oedd David Adams (1845–1923), brodor o Dal-y-bont, Ceredigion, a gweinidog gyda'r Annibynwyr. Mwy dylanwadol yn y pen draw, fodd bynnag, oedd Thomas Charles Edwards (1837–1900), yn fab i Lewis Edwards, yn Brifathro cyntaf Coleg Aberystwyth, ac wedyn yn Brifathro Coleg y

Newid er gwaeth

'Byddai goleuni, nerth, ac awdurdod nefol gyda'r weinidogaeth [yn Sasiynau'r Methodistiaid yn y gogledd], fel y byddai tyrfaoedd mawrion yn cael eu sobri, annuwiolion yn crynu, pechaduriaid lawer yn cael eu dychwelyd at Dduw, a'r saint yn gwledda'n hyfryd! . . . Ond och! Y mae'r peth nerthol iawn wedi'i golli'n awr! Agwedd y tyrfaoedd wedi newid, ond nid er gwell! . . . Ac ysbryd ac agwedd yr hen Fethodistiaid yn colli'n raddol.'

John Elias

Thomas Charles Edwards

Methodistiaid yn y Bala. Er ei fod yn ysgolhaig disglair a gafodd brofiad dwfn o realiti gras Duw yn adfywiad 1858–60, ni welai y byddai croesawu a hybu'r rhagdybiau newydd yn siŵr o ddinistrio pob hyder yn y Beibl maes o law.

Yn ddigon eironig, bu pwyslais mawr yr eglwysi ar werth addysg yn gyfrwng i orddyrchafu dynion mewn swyddi academaidd, er bod nifer cynyddol o'r rhain wrthi'n troi cefn ar Gristnogaeth feiblaidd. Os oedd athro prifysgol enwog yn datgan rhyw ddamcaniaeth newydd, roedd tuedd gref i dderbyn ei farn bron yn ddigwestiwn oherwydd ei safle gydnabyddedig fel ysgolhaig.

Damcaniaethau gwyddonol

Ynghlwm wrth yr ymosod ar y Beibl daeth bygythiad arall o du damcaniaethau gwyddonol. Cyhoeddodd Charles Darwin *On the Origin of Species* yn 1859; er i lawer o wyddonwyr amlwg wfftio ei syniadau ar y dechrau, o dipyn i beth dyma nhw'n ennill eu plwyf yn y byd academaidd. O'r blaen nid oedd gan anffyddiwr esboniad digonol am ddechreuadau bywyd, ond bellach cynigai Darwin eglurhad a oedd fel petai'n cau Duw allan.

Er nad oedd gwrthdaro mewn gwirionedd rhwng y ffydd Gristnogol a gwyddoniaeth fel y cyfryw, gydag amser aethpwyd i gredu fod rhagdybiau gwyddoniaeth mewn rhyw ffordd neu'i gilydd yn dadbrofi Cristnogaeth. Ac aethpwyd hefyd i dybio fod y Beibl, er ei fod o bosibl yn gywir wrth drafod materion ysbrydol, yn gyfeiliornus gyda golwg ar gwestiynau eraill, gyda chanlyniadau anochel ar gyfer awdurdod y Beibl maes o law. Yn ei le gosodwyd anffaeledigrwydd honedig damcaniaethau Darwin. A dyfynnu geiriau brwd David Adams,

> Y mae Datblygiad [hynny yw, esblygiad] yn yr awyr . . . Dyma'r allwedd sydd i ddatgloi holl byrth gwybodaeth a doethineb, ac i'n dysgu am bob peth a fu, sydd, ac a ddaw . . . Datblygiad yw'r Alffa a'r Omega, ac nid oes dim arall yn deilwng i feddwl amdano fel esboniad pob dirgelwch.

Pwyslais gwahanol

'Mae tröedigaethau hynod, ysywaeth, erbyn hyn, yn anaml, a bod o fewn ychydig i fod yn Gristion yn fwy ffasiynol. Mae hyn, o angenrheidrwydd, wedi rhoi gwedd wahanol ar ein cyfarfodydd eglwysig.'

'Dafydd Dafis'

Gwleidyddiaeth

Roedd agosrwydd y cysylltiad rhwng yr enwadau Anghydffurfiol a'r Blaid Ryddfrydol braidd yn anffodus. Ni allai'r Anghydffurfwyr obeithio am fawr ddim gan y Blaid Dorïaidd (a oedd yn gyffredinol ynghlwm wrth Eglwys Loegr). O ganlyniad, edrychent at y Rhyddfrydwyr, yn enwedig i symud y beichiau a osodid arnynt gan yr Eglwys Wladol, a hefyd i ateb eu galwadau am gyfiawnder cymdeithasol yng Nghymru a thramor. Gan fod y Rhyddfrydwyr bob amser yn gallu dibynnu'n llwyr ar gefnogaeth yr Anghydffurfwyr, fodd bynnag, nid oedd angen iddynt roi gormod o sylw i'w hagenda.

Ond ni fu'r diffyg hwn yn lleddfu dim ar yr ymddiriedaeth hyderus — ac ofer — y byddai'r Blaid Ryddfrydol yn cynnig ateb gwleidyddol i anghenion Cymru. Aeth ffydd wleidyddol yn drech na ffydd ysbrydol. A daeth y gagendor rhyngddynt yn amlycach fyth yn yr ardaloedd diwydiannol yn yr ugeinfed ganrif gyda thwf Sosialaeth, er i rai o aelodau cynnar y Blaid Lafur Annibynnol dan arweiniad Keir Hardie (1856–1915) fynnu pwysleisio ei gwreiddiau Cristnogol.

Ymgecru

Roedd tuedd ymhlith y gwahanol garfanau enwadol i fod yn amheus o'i gilydd, a dweud y lleiaf. Er bod enghreifftiau o ddrwgdeimlad rhwng yr Anghydffurfwyr a'i gilydd ar bob lefel, rhyngddynt a'r Eglwys Anglicanaidd yr oedd y rhwyg dyfnaf. Ymgyrchodd yr Anghydffurfwyr yn frwd o blaid dileu hawl Eglwys Loegr i fod yn eglwys sefydledig yng Nghymru. Credent nad oedd cysylltiad swyddogol i fod rhwng eglwys a gwladwriaeth, a dadleuent hefyd fod y sefyllfa grefyddol yng Nghymru yn hollol wahanol i'r hyn a welid yn Lloegr.

Ar ôl brwydro hir, cawsant lwyddiant: yn 1920 datgysylltwyd Eglwys Loegr yn ffurfiol yng Nghymru, a daeth 'Yr Eglwys yng Nghymru' yn ei lle yn 1921. Profodd y corff newydd rywfaint o fywyd ffres yn dilyn y newidiadau hyn, er iddi hefyd gael ei denu i ryw raddau i ddilyn llwybrau mwy Pabyddol, dros dro o leiaf. Ond y

Cartŵn cyfoes yn portreadu Darwin ei hun yn fwnci

gwir yw i lawer o egnïon yr Anglicaniaid a'r Anghydffurfwyr gael eu treulio ar y brwydro chwerw hwn tra oedd materion pwysicach o lawer yn cael eu hanwybyddu.

Clefyd y galon

John Pugh

Wrth i'r ganrif ddod i ben, roedd digon o fynd ar grefydd o hyd, a'r eglwysi'n dal i chwarae rhan amlwg ym mywydau pobl, yn enwedig yng nghefn gwlad. Bu rhai megis Richard Owen (1839–87), brodor o Langristiolus, Môn, a John Evans (1840–97), Eglwys-bach, sir Ddinbych, wrthi'n ceisio deffro cynulleidfaoedd ar hyd a lled Cymru, gyda pheth llwyddiant. Ymdrechwyd hefyd i gyrraedd y boblogaeth helaeth a oedd bellach wedi ymgasglu yn ardaloedd diwydiannol Cymru, yn bennaf drwy Fyddin yr Iachawdwriaeth a Symudiad Ymosodol y Methodistiaid Calfinaidd. Bu llafur John Pugh (1846–1907) a'r brodyr Seth (1858–1925) a Frank (1861–1920) Joshua mewn cysylltiad â'r Symudiad Ymosodol yn y de yn arbennig o ddewr a diflino.

Ond lle roedd y ganrif wedi cychwyn yn llawn gobaith, a'r Oes Aur yn hanner cyntaf y ganrif megis yn gweld y gobaith hwnnw'n cael ei gynyddol wireddu, roedd y wir sefyllfa yn 1900 yn dra gwahanol. Er i'r plisgyn ymddangos yn ddigon iach, roedd calon y ffydd yng Nghymru dan bwysau go ddifrifol.

7—Canhwyllau yn y Gwyll

Er gwaetha'r arwyddion rhybudd a ddeuai'n fwyfwy amlwg, cychwynnodd yr ugeinfed ganrif ar nodyn gobeithiol. Ar yr olwg gyntaf, roedd adfywiad 1904–05 yng nghanol llinach yr adfywiadau nerthol gynt—ac ni ellir gwadu i laweroedd ddod i brofiad achubol o Iesu Grist ym merw'r cyffro mawr.

Ond teg casglu fod yr adfywiad hwn yn dra gwahanol i'r rhai blaenorol o ran ei bwyslais a'i effaith. Roedd prif arweinydd yr adfywiad, Evan Roberts (1878-1951) o Gasllwchwr, Morgannwg, yn ddyn ifanc duwiol a diffuant, a bu ei sêl ysbrydol amlwg yn gyfrwng i ddwyn llawer i gredu yng Nghrist. Yr un pryd, tueddai i bwyso ar yr hyn a oedd, yn ei dyb ef, yn arweiniad uniongyrchol gan yr Ysbryd Glân, ac ar adegau roedd gorbwyslais ar deimladau a diffyg cydbwysedd diwinyddol yn ei oedfaon, i raddau oherwydd absenoldeb dysgeidiaeth feiblaidd eglur ynddynt. Gosodai arweinwyr mewn mannau eraill—Rhosllannerchrugog yn sir Ddinbych, ac ambell ran arall o'r gogledd, er enghraifft—fwy o bwyslais ar bregethu a dysgu, gyda chanlyniadau mwy parhaol a llesol.

Evan Roberts

Ar drai

Er gwaetha'r holl bobl a ddaeth i ffydd yn Iesu Grist, ni lwyddodd adfywiad 1904–05 i atal y dirywiad cyffredinol. Does dim modd gwadu gwres ysbrydol na chyfraniad ffyddlon llawer o'r rhai a gafodd dröedigaeth yn yr adfywiad, ond at ei gilydd roedd Cymru'n symud i gyfeiriad tra gwahanol. Yn wir, yn ystod y blynyddoedd ar ôl yr adfywiad daeth yn hollol amlwg mai rhyddfrydiaeth ddiwinyddol—sef amharodrwydd i dderbyn awdurdod anffaeledig y Beibl a gwerth y credoau Cristnogol

CIP AR Y CYFNOD   *Canhwyllau yn y Gwyll*

Y Ffydd yng Nghymru	Hanes a Llên Cymru	Yr Eglwys Ehangach	Y Byd yn Gyfan
		Karl Barth, 1886-1968	Alexander Fleming, 1881-1955
		C.S.Lewis, 1898-1963	Picasso, 1881-1973
Martyn Lloyd-Jones, 1899-1981	*Saunders Lewis,* 1893-1985		
	1900 A. S. Sosialaidd cyntaf (Keir Hardie)	**Dechrau'r 20 ganrif** Cychwyn Pentecostiaeth	
		Dietrich Bonhoeffer, 1906-45	
1904-05 Adfywiad (Evan Roberts)			
		1910 Cynhadledd GenhadolCaeredin	**1914-18** Rhyfel Byd Cyntaf
			1917 Chwyldro Comiwnyddol yn Rwsia
		Billy Graham, 1918-	**1919** Cynghrair y Cenhedloedd
1920 Datgysylltu Eglwys Loegr yng Nghymru			
R. Tudur Jones, 1921-98			
1924 *Datganiad Byr ar Ffydd a Buchedd* y Methodistiaid Calfinaidd	**1925** Sefydlu Plaid Cymru		
	1926 Y Streic Gyffredinol		**1926** Dyfeisio'r teledu (Baird)
	1930au Dirwasgiad economaidd	**1929** Coleg Diwinyddol Westminster, Philadelphia	
			1939-45 Ail Ryfel Byd
		1947 Darganfod Sgroliau'r Môr Marw	**1945** Sefydlu'r Cenhedloedd Unedig
1948 Dechreuadau Mudiad Efengylaidd Cymru		**1948** Sefydlu Cyngor Eglwysi'r Byd	**1948** Sefydlu gwladwriaeth Israel
	1955 Caerdydd yn brifddinas Cymru	**1950au** Dechreuadau'r Mudiad Carismatig	
1956 Sefydlu Cyngor Eglwysi Cymru	**1962** Ffurfio Cymdeithas yr Iaith Gymraeg	**1962-65** Ail Gyngor y Fatican	
	1966 Trychineb Aber-fan	**1966** Cynhadledd Efengylu Berlin	
			1969 Cerdded ar y lleuad
		1974 Cynhadledd Efengylu Lausanne	
	1982 Sefydlu S4C		
1985 Sefydlu Coleg Diwinyddol Efengylaidd Cymru			
1988 *Y Beibl Cymraeg Newydd*			**1989** Chwalu Wal Berlin
1990 Sefydlu CYTÛN			**1991** Diwedd apartheid
2001 Cyhoeddi *Caneuon Ffydd*	**1999** Sefydlu'r Cynulliad Cenedlaethol yng Nghaerdydd		

hanesyddol — a oedd â'i llaw yn gadarn ar Brifysgol Cymru, y colegau diwinyddol, a llawer iawn o'r eglwysi.

Wrth gwrs, roedd dylanwad Cristnogaeth ar gymdeithas yn parhau'n drwm yn ystod blynyddoedd cynnar yr ugeinfed ganrif. Ond cafodd y dylanwad hwn ei herio'n ysgytwol gan y Rhyfel Byd Cyntaf. Mewn gwirionedd, tanseiliodd digwyddiadau erchyll y rhyfel hwnnw un o bileri rhyddfrydiaeth ddiwinyddol, sef y syniad fod y rheswm dynol ohono'i hun yn medru datrys pob problem a sicrhau gwell byd i bawb.

Yn ddigon rhyfedd, dewisodd llawer un anwybyddu'r wers amlwg hon. Eu hymateb i gyflafan y rhyfel, yn hytrach, oedd ceisio gwella'r ddynoliaeth er mwyn rhwystro'r fath drychineb rhag digwydd byth eto. Y flaenoriaeth yn eu tyb nhw, felly, oedd sicrhau fod cenhedloedd y byd yn siarad â'i gilydd ac yn cael gwared â'u harfau. Bu Gwilym Davies (1879–1955), gweinidog gyda'r Bedyddwyr ar un adeg, yn gweithio'n ddiflino i hybu gwaith Cynghrair y Cenhedloedd, a daeth mudiadau heddychiaeth megis Cymdeithas y Cymod yn ddylanwadol ym mywyd llawer eglwys.

O fewn Cymru ei hun, gweithredu cymdeithasol, yn enwedig gwella amodau byw a gweithio ynghyd â sicrhau trefn economaidd decach, oedd rhaglen llawer arweinydd eglwysig yn y cyfnod ar ôl y rhyfel. Dyna hefyd bwyslais Mudiad Cristnogol y Myfyrwyr yng ngholegau Cymru ac Urdd y Deyrnas, mudiad Cristnogol i bobl ifainc. Roedd y Blaid Lafur ifanc, a'r Blaid Gomiwnyddol hefyd yng nghymoedd de Cymru, hwythau'n taro'r un tant, ac yn tueddu i wneud hynny'n fwy effeithiol na'r eglwysi.

Nantlais Williams

Profiad Nantlais Williams, Rhydaman, ddechrau adfywiad 1904–05

'Wedi mynd adref, ac eistedd, yn dawel hollol a digynnwrf, gwelais mai trwy *gredu* y daw inni iachawdwriaeth, nid trwy ymdrech ac ing mewn gweddi drwy'r nos ar fy rhan i, ond trwy ymdrech rhywun arall drosof yn yr Ardd, ac ar y Groes; ie, trwy bwyso arno Ef a'i chwys gwaedlyd a'i farwol loes. O!, dyna ryddhad. Dyna dangnefedd! Mi *gredais*, oblegid dangoswyd i mi ffyrdd y bywyd yn ddigamsyniol. Wel! wel! mor syml, mor agos! Mor blaen! Mor rhad! . . . Trueni bod ei symlrwydd yn gymaint o dramgwydd i'r doethion a'r deallus, a phawb.'

*Difrod bomio yn Abertawe yn ystod yr Ail
Ryfel Byd*

Limbo

O ganlyniad, roedd Cymru mewn rhyw fath o limbo ysbrydol. Roedd seciwlariaeth a difaterwch ysbrydol yn amlwg ar gynnydd, a realiti Duw personol-dragwyddol yn cael ei wrthod yn fwyfwy agored. Gwella bywyd yn y byd hwn oedd yn cyfrif. Dechreuodd chwaraeon ac adloniant fynd â bryd llawer o'r Cymry, a byddai eu pwysigrwydd yn tyfu'n aruthrol wrth i'r ganrif fynd yn ei blaen. Nid cyfrwng dysgu am Dduw oedd addysg mwyach, ond ffordd i ddod ymlaen yn y byd drwy sicrhau swydd barchus a fyddai'n talu'n dda.

Daeth i Gymru hithau, felly, y pwysau a deimlid mewn llawer gwlad yn y Gorllewin dan ddylanwad y byd modern a'r cyfryngau torfol. Dwysawyd y sefyllfa gan y dirwasgiad economaidd yn y dauddegau a'r tridegau, gyda llawer o Gymry yn symud i ffwrdd i chwilio am waith, ac wedyn gan yr Ail Ryfel Byd. Pan ddeuai dynion adref o'r ddau ryfel mawr, gwelent nad oedd gan y math o Gristnogaeth wanllyd a oedd bellach ar gael fawr ddim i'w gynnig iddynt. Os oeddynt yn parhau i fynychu'r oedfaon o gwbl er mwyn cynnal safonau parchusrwydd, nid oedd eu plant—ac yn sicr nid oedd plant eu plant—mor frwd dros rywbeth a oedd i bob golwg mor ddiafael.

Yn rhyfedd iawn, roedd y Gristnogaeth a fuasai'n gymaint grym yng Nghymru yn ystod y ddwy ganrif flaenorol yn cael ei hystyried yn hen ffasiwn ac amherthnasol gan yr eglwysi eu hunain. Roedd cyhoeddi'r *Geiriadur Beiblaidd* dan nawdd Urdd Graddedigion Prifysgol Cymru yn 1926 yn arwyddocaol iawn, er enghraifft, am iddo ddangos pa mor bell yr oedd ysgolheigion amlycaf y genedl wedi mynd wrth naill ai amau rhai o athrawiaethau canolog yr hen ffydd neu eu gwrthod yn llwyr.

Cafwyd enghraifft arall ddwy flynedd ynghynt wrth i'r Methodistiaid Calfinaidd fynnu rhoi heibio gadernid Cyffes Ffydd enwog 1823, gan osod yn ei lle'r Datganiad Byr ar Ffydd a Buchedd. Roedd hwn yn ddigon cywir ynddo'i hun, ond roedd hefyd yn llawer llai manwl a phenodol ei natur, gan adael i bobl ddehongli'r cymalau yn ôl eu mympwy eu hunain.

Dengys nifer o ddigwyddiadau pa mor llac yr oedd yr eglwysi wedi mynd ynghylch cywirdeb athrawiaeth

Gristnogol. Diarddelwyd Tom Nefyn Williams (1895–1958), y Tymbl, sir Gaerfyrddin, o weinidogaeth y Methodistiaid Calfinaidd yn 1928, er enghraifft, oherwydd i'w ddehongliad o'r ffydd fynd tu hwnt i'r hyn a oedd yn dderbyniol, er i'r awdurdodau ymdrechu'n galed i'w gadw yn yr enwad er gwaethaf ei syniadau hereticaidd. Cyn hir penderfynodd ei fod yn medru derbyn y Datganiad Byr wedi'r cyfan, ac fe'i derbyniwyd yn ôl â breichiau agored.

Ar y llaw arall, yn 1927 ordeiniwyd George M. Ll. Davies (1880–1949), heddychwr amlwg iawn ac ŵyr i'r Methodist enwog John Jones (1796–1857), Tal-y-sarn, ar sail ei barodrwydd i dderbyn y Datganiad Byr—er iddo ymwrthod ag athrawiaethau canolog megis awdurdod y Beibl, yr Iawn, a chenhedlu gwyrthiol Iesu Grist. Yn nes ymlaen ymunodd â'r Crynwyr, yn rhannol oherwydd eu gwrthwynebiad i'r holl syniad o gorff pendant o athrawiaeth.

Yr un mor arwyddocaol oedd y dirywiad yn ansawdd emynau. Yn ystod ail hanner y bedwaredd ganrif ar bymtheg rhoddid pwyslais ar werth barddonol emynau ar draul eu hathrawiaeth a'u mynegiant o brofiad personol, ac aeth y duedd hon rhagddi yn yr ugeinfed ganrif. Gellir ei gweld, er enghraifft, yng ngwaith H. Elvet Lewis ('Elfed', 1860–1953): mae ei emynau lu yn ddigon uniongred a swynol, ond mae grym a gwres y dyddiau gynt bellach ar goll. Roedd eu habsenoldeb i ddod yn amlycach fyth yng ngwaith emynwyr diweddarach.

Yn erbyn y llif

Serch hynny, roedd ambell ymgais fan hyn a fan draw i sefyll yn erbyn y llif, neu i gadw canhwyllau i losgi yng nghanol y gwyll:

- Ffurfiwyd nifer o eglwysi newydd—ar ffurf neuaddau efengylu, gan amlaf—yn dilyn adfywiad 1904–05, yn enwedig yn y de. Mewn rhai mannau, cael eu gorfodi i adael eu capeli a wnaeth aelodau'r achosion newydd hyn, oherwydd nad oedd croeso yno i'w pwyslais ar ailenedigaeth ac awdurdod y Beibl. Roedd nifer o wahaniaethau rhwng y neuaddau hyn (a'r neuaddau a

Neuadd Efengylu Maes-y-bont, sir Gaerfyrddin

sefydlwyd gan y Brodyr Cristnogol) ar y naill law a'r traddodiad efengylaidd a welwyd yng Nghymru mewn cyfnodau cynt ar y llaw arall. Ond buont serch hynny yn ymgais lew i gadw tystiolaeth gyson i nifer o wirioneddau hanfodol y traddodiad hwnnw.

- Gellir dweud rhywbeth tebyg am y grwpiau Pentecostaidd a fu hefyd yn rhan o ffrwyth adfywiad 1904–05. Diddorol iawn yw nodi i dair ffrwd Bentecostaidd amlwg gael eu dylanwadu'n helaeth gan yr adfywiad hwnnw yng Nghymru:

  ‣ Cafodd y brodyr George a Stephen Jeffreys o Nantyffyllon, Maesteg, Morgannwg, dröedigaeth yn yr adfywiad ill dau, a mynd ymlaen wedyn i sefydlu enwad Elim.

  ‣ Yr un oedd profiad Daniel Williams, a fu'n gyfrifol am ffurfio'r Eglwys Apostolaidd, a'i phencadlys ym Mhen-y-groes, Rhydaman, sir Gaerfyrddin.

  ‣ Dyn arall a fu dan effaith yr adfywiad oedd Donald Gee, a ddaeth maes o law yn ffigur hynod ddylanwadol yn nhwf yr *Assemblies of God*.

Coleg yr Eglwys Apostolaidd, Pen-y-groes, sir Gaerfyrddin

Roedd y grwpiau hyn yn nodedig am wres eu defosiwn a'u sêl efengylu, er bod eu pwysleisiau arbennig yn aml yn dra gwahanol i'r math o ddiwinyddiaeth a fuasai mor amlwg yng Nghymru adeg oes aur y ffydd Gristnogol yn ystod hanner cyntaf y ganrif flaenorol.

R. B. Jones

- Sylweddolai dyn megis R. B. Jones (1869–1933), Porth, Rhondda, fod yn rhaid sefyll o blaid y Beibl yn erbyn yr holl ymosodiadau arno, ac fe wnâi hynny'n ddewr ac yn gyson. Ymhlith ei gyfraniadau yr oedd sefydlu Ysgol Feiblaidd mewn cysylltiad â'i eglwys. Ond roedd yntau hefyd yn dueddol o wrando ar leisiau eraill — Americanaidd gan amlaf — a oedd yn cynnig math o Gristnogaeth eithaf dieithr i Gymru.

- Bedyddiwr oedd R. B. Jones, er iddo gael ei siomi'n aruthrol yn agwedd llawer o'i gyd-Fedyddwyr tuag at Gristnogaeth feiblaidd. Bedyddiwr arall a amddiffynnai'r Gristnogaeth hon oedd William Edwards (1848–1929), Prifathro coleg yr enwad yng Nghaerdydd. Ymhlith y Methodistiaid Calfinaidd safai rhywrai megis J. Cynddylan Jones (1841–1930) a Nantlais Williams (1874–1959) dros hen ffydd tadau'r enwad. Un o gyfraniadau pwysig 'Nantlais' oedd ei waith fel golygydd *Yr Efengylydd*, yr unig gylchgrawn Cymraeg am y rhan fwyaf o hanner cyntaf y ganrif i ymdrechu i sefyll dros y ffydd honno. Yn nes ymlaen yn y ganrif yr un fyddai tystiolaeth amlwg R. Tudur Jones (1921–98) ymysg yr Annibynwyr.

- Ymateb tra gwahanol a gafwyd gan Saunders Lewis (1893–1985), y llenor a'r dramodydd. Â'i wreiddiau'n ddwfn yn elfennau gorau Anghydffurfiaeth, roedd yn ddigon craff i sylwi ar bydredd diwinyddol ac ysbrydol y grefydd honno a oedd yn mynd dan enw Protestaniaeth ar y pryd. Yr hyn a wnaeth, felly, oedd ymuno â'r Eglwys Babyddol, a gynigiai'r math o bwyslais ar y goruwchnaturiol mewn crefydd yr oedd yr eglwysi eraill yn ei brysur wadu. Dilynodd T. Charles Edwards, disgynnydd i Thomas Charles a Lewis Edwards, lwybr tebyg.

- O ganlyniad i anallu diwinyddiaeth ryddfrydol i gynnig atebion digonol i gwestiynau mawr bywyd, denwyd ambell un at syniadau Karl Barth (1886–1968), y diwinydd o'r Swistir. Wrth bwysleisio penarglwyddiaeth Duw ac arwyddocâd allweddol Gair Duw, troai Barth yn ôl i gyfeiriad yr hen Gristnogaeth uniongred, er iddo ymatal rhag arddel ffydd a oedd yn gyson feiblaidd. Roedd gan ei safbwynt gryn apêl at rai megis Lewis Valentine (1893–1986; Bedyddiwr), Ivor Oswy Davies (1906–64; Methodist Calfinaidd), J. D. Vernon Lewis (1879–1970; Annibynnwr), ac yn enwedig J. E. Daniel (1902–62; Annibynnwr).

- Un o'r ychydig a welai fod gan hanes Cymru wersi pwysig ar gyfer y ffydd Gristnogol yn y byd modern oedd Martyn Lloyd-Jones (1899–1981). Roedd ei ddoniau hynod fel pregethwr yn cael eu cydnabod yn gyffredinol, ond i raddau helaeth dyma 'lef un yn llefain yn y diffeithwch'.

Chwilio am atebion

Er bod eithriadau prin ymhob enwad, roedd pwyslais yr eglwysi'n gyffredinol ar yr 'efengyl gymdeithasol', a oedd yn eu hannog i weithredu fel rhyw fath o asiantaeth i'r rhai anghenus. Gweithgareddau diwylliannol, megis eisteddfodau, grwpiau drama, a chymdeithasau llenyddol, a oedd yn mynd â bryd eglwysi eraill.

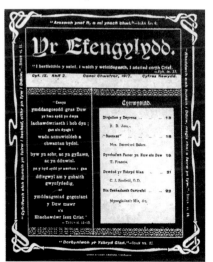

Cymerai rhai arweinwyr crefyddol ran greadigol bwysig ym mywyd Cymru, gan gynnwys gwleidyddiaeth, llenyddiaeth, ac ysgolheictod academaidd. Un enghraifft oedd Pennar Davies (1911–96; Annibynnwr). Un arall, a

DR MARTYN LLOYD-JONES (1899–1981)

Mae rhyw ramant arbennig yn perthyn i hanes Dr Martyn Lloyd-Jones. Fe'i ganed yng Nghaerdydd, ond cafodd ei fagu yn Llangeitho yng Ngheredigion. Yn blentyn ifanc, fe'i hachubwyd rhag tân difrifol yn ei gartref trwy ei daflu o ffenestr y llofft. Mwynhaodd yrfa ddisglair fel meddyg, a daeth yn brif gynorthwywr clinigol i'r Arglwydd Horder, meddyg i'r teulu brenhinol. Ond rhoddodd y gorau i Harley Street er mwyn mynd yn weinidog yr efengyl. Er iddo fedru helpu crachach Lloegr o ran eu hiechyd corfforol, sylweddolai mai eu hangen mwyaf oedd newid ysbrydol—y math o newid a oedd wedi dod i'w ran yntau.

Un nodyn amlwg yn ei weinidogaeth oedd pwysigrwydd gwir adfywiad ysbrydol. Roedd y magu yn Llangeitho wedi plannu ynddo ymwybyddiaeth o'r hyn yr oedd Duw wedi ei wneud trwy Daniel Rowland yn y ddeunawfed ganrif. Pan aeth yn weinidog i Aberafan yn 1927, profodd ryw gymaint o'r un math o adfywiad, a daliai i bwysleisio'n frwd yr angen am ymweliad grymus gan yr Ysbryd Glân weddill ei fywyd.

Neges arall oedd y pwysigrwydd o sefyll dros awdurdod y Beibl a'r ddiwinyddiaeth glasurol a oedd yn seiliedig arno. Mewn oes a ddyrchafai amheuon a syniadau newydd, un o'i brif gyfraniadau oedd dangos gwerth y Gristnogaeth gadarn a beiblaidd a gawsai ddylanwad mor iachus ar Gymru yn y gorffennol.

Ond efallai mai fel pregethwr y'i cofir yn bennaf. 'Diwinyddiaeth ar dân' oedd ei ddiffiniad o bregethu, ac ni ellir gwell disgrifiad o'i weinidogaeth awdurdodol ei hun. Ym marn llawer un, ef oedd pregethwr mwyaf yr ugeinfed ganrif, ac erbyn hyn mae galw helaeth am ei lyfrau (sy'n seiliedig ar ei bregethau) drwy'r byd i gyd.

Er iddo symud i Gapel Westminster, Llundain, yn 1938, roedd Cymru yn agos at ei galon ar hyd yr amser. Yr hyn yr hiraethai amdano oedd gweld ei wlad ei hun yn dychwelyd at ffydd ei thadau, gan brofi realiti presenoldeb Duw mewn adfywiad. Bu farw ar Ddydd Gŵyl Ddewi 1981 heb weld gwireddu'r gobaith hwn, ond taniodd lawer un arall i weddïo amdano ac i fod yn ffyddlon yn y gwaith o alw Cymru'n ôl at Iesu Grist.

ymwrthododd â'r efengyl gymdeithasol ond a welai bob rhan
o fywyd dan arglwyddiaeth Crist o safbwynt beiblaidd, oedd
Bobi Jones (1929–).

Ond ar hyd yr amser roedd gostyngiad brawychus yn y
nifer o bobl a oedd yn mynd i addoli ar y Sul. Peth trist oedd
gweld llawer hen gapel urddasol yn mynd yn warws, neu'n
dafarn, neu'n neuadd bingo. O bryd i'w gilydd, felly, cafwyd
ymgais i droi'r llif yn ei ôl. Cynhaliwyd ymgyrch 'Y Bobl
Drws Nesaf' yn 1967, ac yna ymgyrch 'Cymru i Grist' yn
1975, er enghraifft, i geisio denu pobl yn ôl i'r eglwysi; ond ni
chafwyd fawr ddim effaith ar drwch y boblogaeth. At ei
gilydd, yr un fu hanes ymgyrchoedd mwy efengylaidd eu
naws megis 'Dweud wrth Gymru', dan arweiniad Luis Palau,
ddiwedd yr wythdegau.

Ni fu taith y Pab i Gymru yn 1982, nac ymweliadau
diweddarach yr Archesgob Desmond Tutu, er iddynt dynnu
cryn sylw, chwaith yn fodd i sicrhau newidiadau parhaol er
gwell. Yn 1988 cyhoeddwyd y *Beibl Cymraeg Newydd* gyda'r
bwriad o 'fod yn gyfrwng i genhadaeth Duw yn y Gymru
gyfoes', ond nid yw'r cyfieithiad mwy modern hwn wedi
llwyddo hyd yma i atal y trai ysbrydol.

Bu'r gostyngiad trawiadol yn nifer y rhai a oedd yn
derbyn hyfforddiant ar gyfer y weinidogaeth, ynghyd â chau
nifer o golegau diwinyddol o ganlyniad, yn achos gofid
diamheuol. Roedd gobaith y byddai ordeinio gwragedd, yn
gyntaf ymysg yr Anghydffurfwyr ac o 1996 yn yr Eglwys yng
Nghymru, yn cwrdd â'r angen brys am ofal bugeiliol o fewn
yr eglwysi. Unwaith eto, fodd bynnag, ni fu fawr o
arwyddocâd ymarferol i'r canlyniadau.

'Ynddo Ef . . .'

'Ynddo Ef mae yna adfywiad sy'n wreiddyn i bob adfywiad, a chyfanrwydd lle y caiff
Cymru hithau, ond iddi ddod yn ei thlodi a chan ymddiried yn gyfan gwbl yn Ei ewyllys
Ef, ollyngdod llwyr. Dduw ein Tad, gweddïwn dros Gymru, er mwyn EI ENW EF, ein
Gwaredwr annwyl Iesu Grist.'

Bobi Jones (1929–)

Roedd twf y Mudiad Eciwmenaidd fel petai'n cynnig ffordd wahanol o geisio datrys rhai o'r problemau. Ei fwriad pennaf oedd hybu cyd-ddeall a chydweithredu rhwng yr eglwysi; gyda'r nod hwn mewn golwg, ffurfiwyd Cyngor Eglwysi'r Byd yn 1948, a Chyngor Eglwysi Cymru yn dilyn yn 1956. Ymdrechai arweinwyr eciwmenaidd megis Erastus Jones a Noel Davies (y naill a'r llall yn weinidogion gyda'r Annibynwyr) yn egnïol i symud rhwystrau rhwng yr enwadau. Roedd grym ychwanegol yng ngalwadau'r mudiad am fwy o undod—er bod y rhain fel arfer ar draul datganiadau eglur ar athrawiaeth—oherwydd gwendid cynyddol yr eglwysi fel unedau ar wahân.

Ni lwyddwyd, fodd bynnag, i sicrhau unrhyw fath o undod ffurfiol ar lefel Gymreig. O ganlyniad, penderfynwyd mai gwell fyddai canolbwyntio ar hybu undod mewn cylchoedd lleol, dan ymbarél trefniadaeth newydd CYTÛN, a sefydlwyd yn 1990. Ar droad y ganrif cynigiwyd cynlluniau eto ar gyfer dwyn yr enwadau Anghydffurfiol at ei gilydd o fewn eglwys newydd. Arwydd arall o fwy o barodrwydd ymhlith gwahanol garfanau eglwysig i gydweithio oedd cyhoeddi *Caneuon Ffydd,* llyfr emynau newydd, ar y cyd yn 2001.

Un cam arwyddocaol a gymerwyd gan CYTÛN oedd gwahodd Pabyddion i fod yn aelodau cyflawn. Yn wir, yn ystod ail hanner yr ugeinfed ganrif cafodd y Pabyddion eu derbyn yn fwyfwy agored i brif ffrwd bywyd y genedl, yn rhannol drwy ddylanwad eang arweinwyr amlwg megis Daniel Mullins, a ddysgai'r Gymraeg a'u huniaethu eu hunain â'r Cymry.

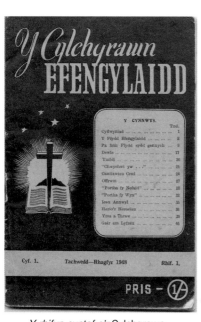

Y rhifyn cyntaf o'r Cylchgrawn Efengylaidd, *Tachwedd/Rhagfyr 1948*

Roedd parodrwydd rhai arweinwyr Anglicanaidd i gynnig ffocws ar gyfer dyheadau'r genedl yn fodd ychwanegol i danseilio'r ddelwedd o Gymru fel caer draddodiadol i Anghydffurfiaeth. Amlygodd Glyn Simon a Gwilym O. Williams, Archesgobion Cymru yn y chwedegau a'r saithdegau, gryn allu gwleidyddol wrth hybu buddiannau Cymru a gweithredu ar ran yr iaith Gymraeg. Er i'r Eglwys yng Nghymru hithau ddioddef yn sgil yr adwaith cyffredinol yn erbyn crefydd gyfundrefnol, roedd tuedd gynyddol i ystyried Archesgob Anglicanaidd Cymru yn gynrychiolydd y Cymry'n gyffredinol.

Coleg Diwinyddol Efengylaidd Cymru, Pen-y-bont ar Ogwr

Cyffroadau bychain

Ond roedd hefyd ddatblygiadau tra gwahanol eu naws. Yn ystod ail hanner y pedwardegau a dechrau'r pumdegau gwelwyd math o ddeffroad ysbrydol yn ardal Llanelli a Cross Hands yn y de, ac — yn hollol annibynnol a digymell — ymhlith myfyrwyr ym Mangor. Nid oedd graddfa'r deffroad hwn i'w gymharu â'r adfywiadau ysgubol yn ystod y ddwy ganrif flaenorol, ond fe newidiwyd bywydau ugeiniau o bobl ifainc a bu'n elfen bwysig yn adferiad y ffydd efengylaidd ymhlith y Cymry. Un canlyniad ymarferol oedd i rywrai fynd ati i ddechrau cyhoeddi'r *Cylchgrawn Efengylaidd* a maes o law i ffurfio Mudiad Efengylaidd Cymru. Bu J. Elwyn Davies yn Ysgrifennydd Cyffredinol iddo am dros ddeugain mlynedd.

Efallai mai cyfraniad pennaf Mudiad Efengylaidd Cymru oedd atgoffa pobl am bwysigrwydd y cyfuniad o wir fywyd ysbrydol a diwinyddiaeth gadarn sydd wedi nodweddu Cristnogaeth Gymreig ar ei gorau. Dysgai'r Mudiad werth y naill a'r llall gan Martyn Lloyd-Jones, a cheisiai eu hyrwyddo'n frwd ar hyd ail hanner yr ugeinfed ganrif.

Angen pennaf Cymru

'Yr angen mawr yw pregethu grymus, argyhoeddiadol, yn nerth yr Ysbryd Glân, cyhoeddi barn, galw am edifeirwch, cynnig iachawdwriaeth rad trwy waed Crist, cyfiawnhad trwy ffydd yn unig, a'r ailenedigaeth wyrthiol.'

Dr Martyn Lloyd-Jones

Er nad yw'n rhan o Fudiad Efengylaidd Cymru fel y cyfryw, mae Coleg Diwinyddol Efengylaidd Cymru (a sefydlwyd yn 1985 ym Mhen-y-bont ar Ogwr, yn olynydd i Goleg Beiblaidd De Cymru yn y Barri ac yn y pen draw i Ysgol Feiblaidd R. B. Jones yn y Porth) wedi sefyll dros yr un egwyddorion. Bu tystiolaeth gyson dros y rhain hefyd yng ngholegau Cymru, drwy Gymdeithas Undebau Efengylaidd

R. Tudur Jones (1921–98)

Mewn mwy nag un ystyr roedd Dr R. Tudur Jones yn gawr o ddyn. Roedd yn gawr yn gorfforol. Doedd ganddo fawr o amynedd â chwaraeon fel y cyfryw, ac mae hynny'n drueni gan y buasai'n gaffaeliad gwerthfawr yn ail reng tîm rygbi Cymru!

Roedd hefyd yn gawr o ysgolhaig. Yn Ddarlithydd yn Hanes yr Eglwys ym Mhrifysgol Cymru, Bangor, ac yn Brifathro Coleg Bala-Bangor yr Annibynwyr (o 1965 i 1988), cafodd ddylanwad eang ar genedlaethau o fyfyrwyr. Ar ben hynny, llifodd llyfrau ac erthyglau yn gyson o'i stydi ym Mangor: rhestrir 341 o gyhoeddiadau yn y llyfryddiaethau o'i waith, a rhai ohonynt yn gyfrolau swmpus sy'n darparu trafodaethau safonol ar y pynciau dan sylw. Ond nid dyma'r cyfanswm chwaith, gan iddo fod yn gyfrifol am

lunio cannoedd lawer o erthyglau llai, megis ei golofn wythnosol adnabyddus yn y *Cymro* am flynyddoedd maith.

Ond yn fwy na dim, roedd yn gawr o hanesydd Cristnogol—y mwyaf a welwyd erioed yng Nghymru. Ei nod oedd olrhain llaw Duw yn hanes Cymru er mwyn dwyn y genedl i lawenhau yn ei threftadaeth ysbrydol. Mewn cyfrol ar ôl cyfrol—*Hanes Annibynwyr Cymru, Vavasor Powell, Yr Undeb: Hanes Undeb yr Annibynwyr Cymraeg 1872–1972, Ffydd ac Argyfwng Cenedl: Cristionogaeth a Diwylliant yng Nghymru 1890–1914, Grym y Gair a Fflam y Ffydd*, ymhlith llawer un arall—ceisiai egluro a dehongli realiti'r ffydd Gristnogol yn y gorffennol er goleuo pobl ei gyfnod ei hun.

Carai ei genedl (gweler, er enghraifft, *Ffydd yn y Ffau* a *The Desire of Nations*), a chredai fod Duw wedi ei wneud yn Gymro yn bennaf er mwyn gwasanaethu ei Arglwydd o fewn y genedl honno. Gofidiai, felly, o weld y dirywiad ysbrydol a moesol yn y wlad. A sylweddolai i'r dim mai unig obaith Cymru oedd dychwelyd mewn edifeirwch at y Duw hwn:

Fy argyhoeddiad personol yw fod syniadau anfeiblaidd a hiwmanistaidd wedi gweithio fel cancr yng nghalonnau llu mawr o grefyddwyr, ac nad oes obaith gweld adferiad heb edifeirwch diwinyddol a dychwelyd at 'y ffydd a roddwyd unwaith i'r saint'. Ac ni ddigwydd hynny heb dywalltiad nerthol o'r Ysbryd Glân ar yr eglwysi.

y Prifysgolion (IVF) — Cymdeithas Gristnogol y Prifysgolion a'r Colegau (UCCF) erbyn hyn.

Un canlyniad i'r deffroad bach hwn oedd i rywrai deimlo'n fwyfwy anfodlon ynghylch cyflwr yr enwadau traddodiadol. Yn wir, bu cryn dyndra mewn ambell achos lle roedd arweinwyr enwadol yn mynnu mynegi amheuon am athrawiaethau canolog y Beibl, neu'n rhoi mwy o bwyslais ar weithgarwch cymdeithasol nag ar yr angen am ddod drwy ailenedigaeth i wir ffydd yng Nghrist.

O'r chwedegau ymlaen, felly, dechreuwyd sefydlu eglwysi efengylaidd annibynnol Cymraeg a Saesneg — ac, mewn ambell achos, dwyieithog — ledled Cymru. I raddau helaeth, mynd yn ôl yr oeddynt at y math o ddysgeidiaeth a fframwaith eglwysig a fu gan yr Annibynwyr a'r Bedyddwyr (a'r seiadau Methodistaidd o ran hynny) mewn cyfnodau cynt. Mewn canrif o gilio cyffredinol, roedd y duedd hon yn un o'r ychydig ddatblygiadau 'newydd' yn y sefyllfa grefyddol.

Ceisio gwneud safiad o blaid yr hen efengyl feiblaidd a fu mor helaeth ei dylanwad ar Gymru a wnâi'r eglwysi newydd hyn. Wrth reswm, nid oeddynt yn frwd iawn dros y Cynghorau Eglwysi na CYTÛN, gan mai tuedd y cyrff hyn oedd peidio â bod yn rhy bendant ynghylch athrawiaethau'r ffydd er mwyn sicrhau cymaint o undod â phosibl. Ond barn pobl eraill o'r un argyhoeddiad efengylaidd ag aelodau'r eglwysi newydd oedd mai gwell fyddai aros o fewn eu henwadau er mwyn cynnal tystiolaeth feiblaidd yno a cheisio eu dwyn yn ôl at eu gwreiddiau ysbrydol cyfoethog.

Os oedd eglwysi efengylaidd annibynnol yn rhywbeth 'newydd' o'r chwedegau ymlaen, felly hefyd y Mudiad Carismatig. Tra'n dal llawer o'r hen athrawiaethau beiblaidd, yn enwedig yr angen am berthynas real â Iesu Grist, mae ei duedd i bwysleisio profiadau anghyffredin — gan gynnwys proffwydoliaethau, breuddwydion, gweledigaethau, iacháu, a llefaru â thafodau — yn dra gwahanol i'r math o Gristnogaeth a welwyd yng Nghymru dros y blynyddoedd. Mae wedi dylanwadu ar y prif enwadau, yn enwedig o ran dulliau o addoli, a hefyd wedi arwain at eglwysi carismatig newydd, rhai ohonynt yn annibynnol ac eraill yn dal perthynas â'i gilydd.

Y geiriau—a'r Gair

Gwae inni wybod y geiriau heb adnabod y Gair
A gwerthu ein henaid am doffi a chonffeti ffair, . . .

David James Jones ('Gwenallt', 1899–1968), 'Ar Gyfeiliorn'

Yn 1989 cymerodd y Cynghrair Efengylaidd, a sefydlwyd gyntaf yn 1846 er mwyn hyrwyddo cyd-ddeall a chydweithio rhwng grwpiau ac eglwysi efengylaidd o wahanol fathau, gam newydd wrth benodi Ysgrifennydd Cymreig, sef Arfon Jones.

Chwalu

Ond mae'n rhaid cydnabod nad yw'r holl weithgarwch efengylaidd, nac ymdrechion y sefydliad crefyddol chwaith, wedi llwyddo i atal y dirywiad ysbrydol yng Nghymru. Cynhaliwyd ambell arolwg yn ystod degawdau olaf yr ugeinfed ganrif a ddangosai'n boenus o glir y gostyngiad aruthrol yn nifer aelodau a mynychwyr eglwysig. Ac mae rhyw ing neilltuol yn y gwrthgyferbyniad rhwng y dirywiad alaethus a'r bywyd byrlymus a fu.

Yr un pryd mae'r dirywiad yn mynd ymhell y tu hwnt i ystadegau moel. Lle y bu safonau Cristnogol unwaith yn ddylanwad iach ar filoedd lawer o deuluoedd Cymru, nid felly y mae hi heddiw. Yn ystod y degawdau diwethaf, gwelwyd cynnydd arswydus mewn problemau cymdeithasol o bob math, gan gynnwys torpriodas, erthylu, trais, a thorcyfraith. Mae pobl ifainc yn meddwi'n agored ar gyffuriau ac alcohol a rhyw; mae pobl hŷn yn ymroi'n frwd i fateroliaeth.

Nid bod yn eithafol o besimistaidd yw nodi'r pethau hyn. Yn hytrach, ni ellir ond cydnabod yn deg y chwalu helaeth a fu ar y safonau sydd wedi cynnal a chyfoethogi cymdeithas dros y canrifoedd, a'r safonau hynny'n tarddu'n bennaf o'r Beibl a'r ffydd Gristnogol.

'Ichabod': y gogoniant a ymadawodd. Yr adeilad yn y llun gwaelod yw 'Bethesda', a roddodd ei enw i gymuned gyfan yn nyffryn Ogwen, sir Gaernarfon. Fe'i defnyddir bellach ar gyfer fflatiau.

8—Ymlaen i'r Dyfodol . . .

Fel hyn y mae Gwenallt yn sôn am hanes Cristnogaeth yng Nghymru:

Bu'r angylion yma'n tramwy,
   Ar dy ffyrdd mae ôl eu troed,
A bu'r Ysbryd Glân yn nythu,
   Fel colomen, yn dy goed. . . .

Mae yn llygad ei le. Amhosibl yw byw yng Nghymru heb fod yn ymwybodol o wirionedd geiriau'r bardd. Gwelwn y dystiolaeth yn llachar o'n hamgylch:

Capel Soar-y-mynydd, Ceredigion

- Mewn enwau lleoedd.

- Mewn enwau pobl.

- Mewn eglwysi a chapeli ar hyd a lled y wlad.

- Mewn cerfluniau a chofgolofnau mewn llawer man.

- Mewn llenyddiaeth, o'r enghreifftiau cynharaf oll o ysgrifennu yn Gymraeg.

- Mewn iaith—llu o eiriau a phriod-ddulliau â'u gwreiddiau yn y Beibl.

- Ac yn llawer o ffigurau mwyaf hanes Cymru, sydd wedi dylanwadu'n helaeth ar fywyd y genedl.

Nid yw hynt Cristnogaeth yng Nghymru wedi bod yn hollol ddidrafferth, mae'n rhaid cyfaddef. Bu cyfnodau o fodloni ar rigolau crefyddol hollol anfeiblaidd. Bu camgymeriadau mawr a mân. Bu ambell rwyg rhwng dynion da. Bu diffyg gweledigaeth ar adegau o ran cymhwyso'r ffydd Gristnogol yn ymarferol i bob rhan o fywyd. Bu dirywiad ysbrydol enbyd droeon yn hanes y genedl.

Adeiladu

Ond mae Cristnogaeth yma o hyd er gwaethaf pob ergyd, o'r tu mewn ac o'r tu allan. Mae Iesu Grist wedi cadw ei addewid i adeiladu ei Eglwys (Mathew 16:18)—ac mae'n dal wrthi gyda'r gwaith hwn yng Nghymru.

O edrych yn ôl dros hanes y genedl, gallwn weld adegau pan aeth y gwaith adeiladu yn ei flaen yn llewyrchus iawn— yn bennaf oll yn Oes y Seintiau, ac yna yn y ddeunawfed ganrif a hanner cyntaf y bedwaredd ganrif ar bymtheg. 'Marchog, Iesu, yn llwyddiannus' oedd gweddi Williams Pantycelyn, a gwelwyd y marchogaeth llwyddiannus hwn sawl tro yn hanes Cymru. Ond hyd yn oed ar adegau eraill, mae'r gwaith adeiladu wedi mynd ymlaen—yn fwy tawel, yn fwy graddol, ond yr un mor sicr, serch hynny. A bu bywyd Cymru ar ei ennill yn ddirfawr o'r herwydd.

Erbyn hyn mae llawer un yn sôn am 'y cyfnod ôl-Gristnogol' yng Nghymru a'r byd gorllewinol. I'w tyb nhw mae Cristnogaeth o'r diwedd wedi chwythu ei phlwc. Mae'r byd yn mynd yn ei flaen heb gydnabod Duw mewn unrhyw

Yr hen a'r ifanc—plant a phobl ifanc o amgylch cerflun i Lewis Edwards yn y Bala

O genhedlaeth i genhedlaeth—plant wrth ymyl croes Geltaidd Caeriw, sir Benfro

ffordd ystyrlon. Mae safonau Cristnogol ar gyfer bywyd yn cael eu hwfftio. A does dim diben sôn ragor am nefoedd nac uffern tu hwnt i'r bywyd hwn.

Ond ai dyna'r gwir i gyd? Mae'n dda cofio fod Cristnogaeth yn ffynnu mewn llawer rhan o'r byd. Yn wir, yn ystod y blynyddoedd diwethaf mae ambell wlad arall wedi dechrau anfon cenhadon i Gymru, a Christnogion mewn gwledydd eraill sydd wedi derbyn cenhadon o Gymru yn y gorffennol yn ymrwymo i weddïo dros Gymru.

Pwy a ŵyr . . . ?

Pwy a ŵyr na fydd y cenhadon hyn a'r gweddïo hwn yn gyfryngau i alw pobl Cymru yn ôl at y ffydd sydd wedi bod yn rhan mor amlwg o'i bywyd ar hyd y canrifoedd?

Pwy a ŵyr na fydd Duw eto'n peri deffroad ysbrydol ar raddfa lawer mwy nag a welwyd erioed o'r blaen?

Pwy a ŵyr nad oes rhyw Ddewi newydd, neu ryw Walter Cradoc neu Daniel Rowland neu Thomas Charles — ar hyn o bryd ymhlith yr annuwiol neu'r di-hid, efallai — a fydd maes o law yn offeryn grymus yng ngwasanaeth Duw i arwain Cymru allan o'i thywyllwch?

Pwy a ŵyr na fydd y newidiadau gwleidyddol a ddaeth i rym gyda sefydlu'r Cynulliad Cenedlaethol yng Nghaerdydd yn 1999 yn cael eu dilyn gan newidiadau ysbrydol yn y mileniwm newydd?

Pwy a ŵyr . . . ?

Yr ateb, yn syml, yw mai Duw a ŵyr. Y Duw sy'n parhau i deyrnasu, er pob arwydd o annuwioldeb yn y byd yn gyffredinol ac yng Nghymru'n benodol. Y Duw sy'n dal holl hanes y byd, a holl hanes cenhedloedd y byd, yn ei law hollalluog. Y Duw sydd wedi bod ar waith mor rymus yng Nghymru yn y gorffennol, ac sy'n medru gweithio'r un mor nerthol eto. Y Duw sydd wrthi o hyd yn galw ei bobl ynghyd 'o bob cenedl, a llwythau, a phobloedd, ac ieithoedd' (Datguddiad 7:9).

Mae un peth yn sicr: 'Cyfiawnder a ddyrchafa genedl' (Diarhebion 14:34). Erbyn dechrau'r trydydd mileniwm, mae

Tywyllwch a goleuni

'Yn ysbrydol fe geir yr argraff fod Cymru, a'r Gymru Gymraeg yn arbennig, yn anialwch o le. Ac y mae'r cwestiwn yn codi: pa bwynt yn y pen draw sydd mewn cael cynulliad etholedig, a'r iaith Gymraeg yn ffynnu, os yw bywyd y genedl yn gyffredinol yn sownd yng ngafael grymusterau sy'n elyniaethus i Dduw? Ond efallai fy mod yn cymryd golwg rhy ddu ar bethau. Drwy ras, nid wyf yn credu y bydd y dystiolaeth Gristnogol bellach yn darfod o'r tir, ac fe all unrhyw foment ddechrau denu pobl ar raddfa fawr eto a mynd yn gyflym ar led. Pe digwyddai hynny fe fyddwn yn teimlo'n hyderus iawn am ddyfodol Cymru!'

R. Geraint Gruffydd (1928–)

Cymru — er colled ddirfawr iddi — fel petai wedi mynnu cefnu ar y cyfiawnder hwn. Ac anodd anwybyddu'r geiriau heriol a roddodd Saunders Lewis yng ngenau Emrys yn ei ddrama enwog *Buchedd Garmon* (1937):

Garmon, Garmon,
Gwinllan a roddwyd i'm gofal yw Cymru fy ngwlad,
I'w thraddodi i'm plant
Ac i blant fy mhlant
Yn dreftadaeth dragwyddol;
Ac wele'r moch yn rhuthro arni i'w maeddu.
Minnau yn awr, galwaf ar fy nghyfeillion,
Cyffredin ac ysgolhaig,
Deuwch ataf i'r adwy,
Sefwch gyda mi yn y bwlch,
Fel y cadwer i'r oesoedd a ddêl y glendid a fu.

Bu goleuni'r efengyl Gristnogol yn disgleirio'n llachar yng Nghymru dros gyfnodau maith. Bu hefyd adegau pan oedd y goleuni hwnnw bron ar ddiffodd. Heb y goleuni, dim ond tywyllwch sydd. Ond mae Iesu Grist yn datgan mai ef yw 'goleuni'r byd' (Ioan 8:12). Ac yn y goleuni hwn yn unig y mae gwir obaith am lewyrch i Gymru yn y dyfodol.

Geirfa

Dynoda * ar ôl gair fod y gair hwnnw hefyd (neu air o wreiddyn tebyg)
yn cael sylw yn yr Eirfa.

Aberthol: Cyfeiriad at farwolaeth Iesu Grist fel rhodd
wirfoddol ohono'i hun i Dduw dros ei bobl, er mwyn
sicrhau iachawdwriaeth* iddynt.

Adfywiad: Tywalltiad o'r Ysbryd Glân gan Dduw, yn
arwain at ddeffroad crefyddol, profiad dyfnach o Dduw,
bywyd newydd yn yr Eglwys, a llaweroedd yn troi mewn
edifeirwch* a ffydd* at Iesu Grist. Gweler t. 92.

Anghrist: Gelyn pennaf Iesu Grist (1 Ioan 2:18,22; 4:3;
2 Ioan 7). Ceir gwahanol syniadau yn ei gylch: credai'r
Diwygwyr Protestannaidd* mai'r Pab* oedd yr Anghrist,
tra bo eraill yn disgwyl iddo ymddangos yn weledig er
mwyn hybu pob math o ddrygioni cyn ailddyfodiad Crist
i'r ddaear yn niwedd y byd.

Anghydffurfwyr: Y rheini a wrthodai gydymffurfio â
gofynion Eglwys Loegr* yn dilyn Deddf Unffurfiaeth 1662
a deddfau cysylltiedig, yn enwedig oherwydd adfer trefn
esgobol* a mynnu'r defnydd o'r Llyfr Gweddi Gyffredin*
yn oedfaon yr Eglwys. Erlidiwyd yr 'Anghydffurfwyr' hyn
gan yr awdurdodau, ond gyda Deddf Goddefiad 1689
cafodd bodolaeth Anghydffurfiaeth ei chydnabod yn
swyddogol gan y wladwriaeth (er i nifer o gyfyngiadau
barhau).

Anglicanaidd: Gair sy'n cyfeirio at Eglwys Loegr* neu
at unrhyw Eglwys sydd mewn cymundeb â hi.

Ailenedigaeth: Newid ysbrydol a gyflawnir gan yr
Ysbryd Glân yn y galon ddynol. O ganlyniad i'r newid
hwn, gall person ymateb i Dduw mewn ffydd* a chariad
ac ufudd-dod.

Annibynwyr: Carfan o Anghydffurfwyr* Protestannaidd*
sy'n rhoi pwyslais ar annibyniaeth a rhyddid yr eglwys
leol. Gwelir pob eglwys yn annibynnol ar ei gilydd, a
hefyd ar y wladwriaeth. Aelodau'r eglwys leol, yn hytrach
nag unrhyw awdurdod uwch, sy'n gyfrifol am ei threfn a'i
gwaith.

Apostol: Rhoddwyd yr enw'n wreiddiol i brif ddisgyblion
Iesu Grist. Yn hanes yr Eglwys mae'n cael ei
ddefnyddio'n aml ar gyfer arweinydd neu arloeswr
amlwg mewn ardal arbennig. Ystyr y gair Groeg
gwreiddiol yw 'anfonedig' neu 'negesydd'.

Archoffeiriad: Yr offeiriad pennaf. Prif waith yr
archoffeiriaid yn yr Hen Destament oedd cynrychioli'r
bobl gerbron Duw, gan offrymu aberthau* ar eu rhan—
yn enwedig ar ddydd blynyddol y cymod (Lefiticus 16)—

er mwyn symud digofaint Duw oherwydd eu pechodau*.
Neges Hebreaid 9 yw mai Iesu Grist yw'r gwir
archoffeiriad.

Bangor: Gwrych wedi ei blethu yw ystyr sylfaenol y
gair, ond daeth wedyn i gyfeirio at dir neu adeilad o fewn
i'r gwrych a ddefnyddid i ddibenion crefyddol.

Barth, Karl: Diwinydd o'r Swistir (1886-1968). Gofidiai
am y rhyddfrydiaeth* ddiwinyddol a welai yn yr eglwysi;
er na chofleidiai'r hen uniongrededd yn llwyr, gwelai
bwysigrwydd mawredd Duw a lle canolog Gair Duw.

Bedydd: Sagrafen* eglwysig sy'n cynnwys naill ai
trochi person mewn dŵr neu daenellu dŵr ar y pen, yn
arwydd o'r glanhad ysbrydol a ddaw drwy ffydd* yn Iesu
Grist. Mae'r rhan fwyaf o'r enwadau—ac eithrio'r
*Bedyddwyr—yn bedyddio plant ifainc ar sail proffes o
ffydd gan eu rhieni.

Bedyddwyr: Carfan o Anghydffurfwyr* Protestannaidd*
sy'n ymwrthod â'r syniad o fedyddio* plant ifainc, gan
gredu y dylid bedyddio pobl (fel arfer drwy drochiad) ar
sail eu proffes bersonol o ffydd* yn Iesu Grist. O ran eu
trefn eglwysig, maen nhw'n debyg iawn i'r Annibynwyr*.

Benedictiaid: Mynachod* a lleianod sy'n dilyn y rheol a
luniwyd gan Benedict (c.480–c.550) ar gyfer y bywyd
mynachaidd.

Betws: Lle ar gyfer gweddïo.

Boanerges: Yn llythrennol, 'Meibion y daran'.
Rhoddwyd yr enw gan yr Iesu ar Iago ac Ioan, ei
ddisgyblion (Marc 3:17).

Brodyr: Aelodau o'r urddau hynny—Ffransisiaid (y
Brodyr Llwydion, a sefydlwyd gan Ffransis o Assisi yn
1209) a Dominiciaid (y Brodyr Duon, a sefydlwyd gan
Dominic yn 1220 a 1221) yn bennaf, ond hefyd
Carmeliaid ac Awstiniaid—a oedd i ddibynnu ar gardota
am eu bywoliaeth. Eu nod gwreiddiol oedd mentro i'r
gymuned i bregethu yn hytrach na chadw draw oddi
wrth y byd mewn mynachlog.

Brodyr Cristnogol: Carfan o Gristnogion efengylaidd*
a ymddangosodd gyntaf yn y 1830au, dan arweiniaid A.
N. Groves a J. N. Darby. Pwysleisiant symlrwydd gwir
addoli, gan fod yn amheus o ddefodau* ffurfiol ac
adeiladau crand. Rhoddant hefyd gryn sylw i
ailddyfodiad Crist a diwedd y byd.

Butler, Joseph: (1692–1752). Esgob Durham, ac awdur *The Analogy of Religion* (1736), llyfr a geisiodd amddiffyn rhai o seiliau athronyddol Cristnogaeth.

Byddin yr Iachawdwriaeth: Cymdeithas a sefydlwyd gan William Booth yn 1865 (a'i had-drefnu yn 1878), gyda'r bwriad o ymroi i waith efengylu a chymdeithasol. Fe'i trefnir ar batrwm milwrol.

Calfinaidd: Disgrifiad o ddysgeidiaeth a gysylltir yn bennaf â John Calvin (1509–64), un o arweinwyr amlycaf y Diwygiad Protestannaidd*. Hanfod ei ddysgeidiaeth yw mawredd, gogoniant, a gras* Duw. Daw'r nodweddion hyn i'r golwg yn nhrefn yr iachawdwriaeth*, ond nhw hefyd sy'n rhoi fframwaith ac ystyr i bob rhan o fywyd. Er pwysleisio penarglwyddiaeth Duw, mae Calvin hefyd yn rhoi lle priodol i gyfrifoldeb dyn gerbron Duw.

Canoniaid Awstinaidd: Urdd o glerigwyr yn byw gyda'i gilydd mewn cymuned grefyddol, gan ddilyn trefn fynachaidd a luniwyd gan Awstin Sant (neu un o'i ddilynwyr). Cychwynnodd yr arfer yn yr Eidal a Ffrainc yn y ddegfed ganrif.

Capel: Adeilad ar gyfer addoliad crefyddol. Mae gan y gair nifer o ystyron mwy penodol, gan gynnwys adeilad wedi ei godi ymhell o eglwys y plwyf* er cyfleustra i bobl sy'n byw yn yr ardal honno, rhan o eglwys gadeiriol* neu eglwys fawr a neilltuir ar gyfer gweddi ac addoliad ar wahân, ac—yn amlach na dim—adeilad a ddefnyddir gan Anghydffurfwyr*.

Carismatig: 'Rhoddion gras*' yw ystyr gwreiddyn y gair. Fe'i defnyddir yn bennaf heddiw i gyfeirio at fudiad a gychwynnodd yn y 1950au ac sy'n rhoi lle amlwg i ddoniau anghyffredin megis llefaru â thafodau, iacháu, proffwydo, gweledigaethau, a breuddwydion.

Celtiaid: Pobloedd diwylliedig, a'u dylanwad dros rannau helaeth o Ewrop ac Asia Leiaf yn y cyfnod cyn y Rhufeiniaid. Bellach defnyddir yr enw yn bennaf ar gyfer y rheini sy'n perthyn i'r gwledydd a'r ardaloedd hynny a brofodd fewnfudiad gan y Celtiaid a lle y siaredir (neu y siaredid hyd yn ddiweddar) yr ieithoedd Celtaidd, sef Cymru, Cernyw, Llydaw, Ynys Manaw, yr Alban, ac Iwerddon.

Cenhedlu gwyrthiol: Y ddysgeidiaeth i Iesu Grist gael ei genhedlu tu mewn i'w fam (Mair*) nid gan ddyn ond gan yr Ysbryd Glân.

Clawdd Offa: Clawdd a godwyd yn yr wythfed ganrif ar orchymyn Offa, Brenin Mersia, er mwyn nodi'r ffin rhwng ei deyrnas a'r Cymry. Mae'n ymestyn o sir Fflint yn y gogledd i ardal Trefynwy yn y de.

Clywiniaid: Urdd o fynachod yn dilyn patrwm bywyd mynachlog Cluny yn Ffrainc. Sefydlwyd Cluny c.909; nod yr urdd oedd dychwelyd at gadw rheol *Benedict yn fanwl.

Cranmer, Thomas (1489–1556): Archesgob Caergaint, yn gyfrifol am fesurau i hybu'r Diwygiad Protestannaidd* yng Nghymru a Lloegr, gan gynnwys llunio Llyfrau Gweddi Gyffredin 1549 a 1552. Fe'i merthyrwyd yn ystod teyrnasiad Mari.

Credo'r Apostolion: Datganiad syml o rai athrawiaethau Cristnogol, a ddaeth i'r amlwg tua'r bedwaredd ganrif. Mae'n amheus iawn a oes cysylltiad â'r apostolion* fel y cyfryw.

Creiriau: Rhannau o gorff neu eiddo 'sant', a oedd yn cael eu cadw fel arwyddion o barch ato neu ati.

Crist: Gweler 'Meseia'.

Croes: Y darnau o bren, wedi eu trefnu ar ffurf croes, a ddefnyddiwyd ar gyfer croeshoelio Iesu Grist.

Cromwell, Oliver: (1599-1658). Arweinydd amlycaf byddin y Senedd yn erbyn Siarl I yn y Rhyfel Cartref; daeth wedyn yn Arglwydd Amddiffynnydd. Mae ei enw'n aml yn codi gwrychyn pobl, ond cydnabyddir yn gyffredinol ei ddoniau milwrol, ei ymdrechion glew o blaid rhyddid gwleidyddol a chrefyddol, a'i ddiffuantrwydd ysbrydol.

Crynwyr: Dilynwyr George Fox (1624–91), a wrthododd lawer o ffurfiau allanol Cristnogaeth ei ddydd, megis adeiladau a chlerigwyr, gan bwysleisio ymwneud uniongyrchol Duw â'r enaid trwy gyfrwng y 'goleuni mewnol'. Yr enw swyddogol arnynt yw Cymdeithas Grefyddol y Cyfeillion.

Curad: Neu 'ciwrad'. Talfyriad o 'curad cynorthwyol', sef clerigwr sy'n cynorthwyo ficer* neu reithor* i ofalu am anghenion ysbrydol.

Cyfiawnhad: Gweithred Duw yn cyfrif pechadur* yn gyfiawn, ar sail marwolaeth iawnol* Iesu Grist ei Fab, a thrwy gyfrwng ffydd* yn y Gwaredwr hwn.

Cyfrinydd: Un sy'n ymroi i geisio adnabyddiaeth *uniongyrchol* o Dduw. Ceir digon o enghreifftiau yn hanes Cymru o Gristnogion yn derbyn profiad dilys o Dduw wrth gael gafael ar wirioneddau beiblaidd; ond ar hyd y canrifoedd mae rhai cyfrinwyr wedi bod yn euog o fynd dros ben llestri yn eu hymgais am brofiadau ysbrydol yn annibynnol ar ddysgeidiaeth y Beibl.

Cynghrair y Cenhedloedd: Corff a sefydlwyd yn 1919 i hyrwyddo cyd-ddeall a chydweithio rhwng cenhedloedd y byd. Ni lwyddodd i rwystro'r Ail Ryfel Byd, a daeth y Cenhedloedd Unedig yn ei le yn 1945.

Cymun: Gweler 'Swper yr Arglwydd'.

Cynulliad Cenedlaethol: Corff etholedig a sefydlwyd yn 1999 i roi mesur o awdurdod i Gymru dros rai o'i materion ei hun. Fe'i lleolir yng Nghaerdydd.

Cywydd: Cerdd yn y mesurau caeth. Fel arfer mae saith sillaf yn y llinellau, a cheir ynddynt hefyd odl a chynghanedd.

Datgysylltiad: Gweler 'Eglwys Sefydledig'.

Deddf Duw: Ceir crynodeb o ddeddf foesol Duw yn y Deg Gorchymyn; eglurir ei hystyr ysbrydol gan Iesu Grist yn y Bregeth ar y Mynydd (Mathew 5-7). Mae'r ddeddf yn condemnio'r pechadur* am nad yw'n cwrdd â safonau cyfiawn Duw.

Deddfau Uno: Deddfau a basiwyd yn 1536 a 1543 i ffurfioli'r uniad rhwng Lloegr a Chymru. Buont yn gyfrifol am gyfundrefn wleidyddol a gweinyddol newydd yng Nghymru, ond buont hefyd yn ergyd i'r iaith Gymraeg ac i agweddau eraill ar arwahanrwydd Cymru.

Defodau: Gweithgareddau addoli crefyddol, fel arfer wrth ddilyn trefn gwasanaeth ffurfiol.

Derwyddon: Ceir llawer o ddyfalu ynghylch y derwyddon, ond ychydig iawn o ffeithiau cadarn sydd. Y gred gyffredinol yw mai urdd o offeiriaid paganaidd ymhlith y Celtiaid oeddynt, yn honni awdurdod mewn materion crefyddol, gwleidyddol, ac addysgol.

Deugain Erthygl Namyn Un: 39 o osodiadau byrion sy'n crynhoi prif athrawiaethau'r ffydd* Gristnogol, wedi eu derbyn gan Eglwys Loegr* yn eu ffurf derfynol yn 1571.

Dirprwyol: Gair a ddefnyddir i ddisgrifio agwedd ganolog ar farwolaeth iawnol* Iesu Grist. Yn ôl y Beibl, bu farw Crist *dros*, neu *yn lle*, ei bobl. Hynny yw, cymerodd y gosb a oedd yn ddyledus iddynt hwy am eu pechod*, er mwyn iddynt gael mynd yn rhydd. Mynegir y ddysgeidiaeth hon hefyd mewn llawer o emynau Cymraeg.

Diwinyddiaeth: Astudiaeth o natur a gweithredoedd Duw.

Diwygiad: Defnyddir y gair yn aml i olygu 'adfywiad'*; ond gwell cadw 'diwygiad' ar gyfer y math o buro ac ad-drefnu a awgrymir gan y gair Saesneg *'reformation'*. Yn aml iawn, wrth gwrs, mae 'adfywiad' yn esgor ar 'ddiwygiad'.

Dominiciaid: Gweler 'Brodyr'.

Eciwmenaidd: Ystyr y gair yw 'perthyn i'r Eglwys fyd-eang'. Nod y Mudiad Eciwmenaidd yw hybu undod rhwng gwahanol eglwysi'r byd.

Edifeirwch: Dwys gydnabod pechod*, troi'n fwriadol oddi wrtho, ac ymroi i fyw mewn ufudd-dod i Dduw. Mae cysylltiad agos rhwng edifeirwch a ffydd* yn Iesu Grist.

Efengyl: Yn llythrennol, 'newyddion da'. Defnyddir y gair yn aml i nodi neges ganolog y ffydd* Gristnogol, sef fod Duw wedi darparu iachawdwriaeth* trwy Iesu Grist ei Fab. 'Efengylu' yw cyflwyno'r efengyl hon i bobl eraill, drwy bregethu a dulliau mwy anffurfiol.

Efengylaidd: Yn y bôn, disgrifiad o un sy'n credu'r efengyl*. Mae pobl efengylaidd yn rhoi lle canolog i ras* Duw (a drefnodd yr efengyl), i awdurdod y Beibl (sy'n egluro'r efengyl), i farwolaeth iawnol* Iesu Grist (sy'n sicrhau'r efengyl), i'r angen am ailenedigaeth* (sy'n gwneud yr efengyl yn real ym mhrofiad y pechadur*), ac i'r pwysigrwydd o fyw er gogoniant i Dduw (sy'n dangos eu diolchgarwch am yr efengyl).

Efengyl gymdeithasol: Pwyslais ar weithredu er mwyn gwella bywydau pobl drwy ddileu problemau economaidd a chymdeithasol, fel arfer ar draul elfennau goruwchnaturiol Cristnogaeth*.

Eglwys: Defnyddir y gair mewn dwy ffordd yn y llyfr hwn: (1) Cynulleidfa benodol o Gristnogion mewn lle arbennig; (2) Corff crefyddol sydd â'i drefniadaeth, ei glerigwyr a'i ddysgeidiaeth ei hun, o fewn i un wlad (e.e. Eglwys Loegr*) neu mewn sawl gwlad (e.e. yr Eglwys Babyddol*).

Eglwys Babyddol: Eglwys â'i phencadlys yn y Fatican, Rhufain, a'r Pab* yn bennaeth arni. Tyfodd awdurdod Esgob Rhufain yn ystod cyfnod yr Eglwys Fore*, ac am y rhan fwyaf o'r Oesoedd Canol roedd byd y gorllewin yn cydnabod yr awdurdod hwnnw—er iddo gael ei herio gan Eglwys y Dwyrain ac wedyn gan y Diwygwyr Protestannaidd*. Mae'r Eglwys Babyddol yn rhoi lle allweddol i draddodiad, i ddysgeidiaeth yr Eglwys, i arwyddocâd sagrafennau* megis bedydd* a'r offeren*, ac i swyddogaeth y Pab ei hun.

Eglwys Fore: Yr Eglwys yn ystod canrifoedd cyntaf ei bodolaeth, o gyfnod y Testament Newydd ymlaen.

Eglwys gadeiriol: Yr eglwys bennaf mewn esgobaeth, lle ceir *cathedra* (gorseddfainc) yr esgob*.

Eglwys gynnull: Eglwys o bobl sy'n proffesu'n benodol ffydd* yn Iesu Grist fel eu Gwaredwr* a'u Harglwydd, yn hytrach nag eglwys sy'n cynnwys pawb yn ddiwahân (e.e., Eglwys Sefydledig*).

Eglwys Loegr: Roedd yr Eglwys yn Lloegr yn rhan o'r Eglwys Babyddol* hyd at y Diwygiad Protestannaidd*. Yna, am resymau personol a gwleidyddol yn bennaf, crewyd Eglwys Loegr gan Harri VIII. Mae ei threfniadaeth hierarchaidd yn ddigon tebyg i drefniadaeth yr Eglwys Babyddol, ond bod y brenin/brenhines yn ben arni, yn hytrach na'r Pab*. Yn hanesyddol, mae ei hathrawiaeth—ar ffurf y Deugain Erthygl Namyn Un* a'r Llyfr Gweddi Gyffredin*—yn Brotestannaidd, tra hefyd yn cadw rhai adleisiau Pabyddol.

Eglwys Rufain: Gweler 'Eglwys Babyddol'.

Eglwys Sefydledig: Eglwys sy'n cael ei chydnabod gan y wladwriaeth fel Eglwys swyddogol y wlad (e.e., *Eglwys Loegr). Os bydd y ddolen hon yn cael ei thorri, mae'r Eglwys yn cael ei 'datgysylltu' (e.e., yr Eglwys yng Nghymru).

Eglwys Wladol: Gweler 'Eglwys Sefydledig'.

Esgob: Ystyr y gair yw 'arolygwr', ac yn y Beibl cyfeiria at arweinydd(ion) eglwys unigol (Actau 20:17, 28; Philipiaid 1:1). Yn yr Eglwys Babyddol* ac Eglwys Loegr* mae wedi dod i olygu clerigwr o radd uchel sy'n gofalu am esgobaeth (sef ardal ddaearyddol sy'n cynnwys sawl plwyf*), yn cyflawni swyddogaethau pwysig o fewn yr Eglwys, ac, yn achos Eglwys Sefydledig*, yn ymgymryd â chyfrifoldebau o fewn y wladwriaeth hefyd.

Ficer: Gweler 'Rheithor'.

Ffransisiaid: Gweler 'Brodyr'.

Ffydd: Defnyddir y gair mewn dwy ffordd yn y llyfr hwn: (1) Athrawiaethau hanfodol Cristnogaeth—'y ffydd Gristnogol'; (2) Ymddiriedaeth bersonol yn Iesu Grist fel Gwaredwr* ac Arglwydd bywyd.

Gogynfeirdd: Carfan o feirdd—gan gynnwys Beirdd y Tywysogion—a flodeuai yng Nghymru rhwng y ddeuddegfed ganrif a'r bedwaredd ganrif ar ddeg.

Goruwchnaturiol: Disgrifiad o rywun neu rywbeth sydd tu hwnt i ddeddfau natur neu esboniad gwyddonol. Yn ei hanfod mae Duw yn oruwchnaturiol.

Gras: Trugaredd rad Duw tuag at rai sy'n haeddu ei ddigofaint cyfiawn oherwydd eu *pechod yn ei erbyn.

Gwaredwr: Teitl a roddir i Iesu Grist, i ddatgan mai ef sy'n gwaredu ei bobl oddi wrth eu pechod *ac oddi wrth ddigofaint Duw yn erbyn eu pechod.

Hardie, Keir: (1856-1915), Albanwr a ddaeth yn arweinydd y Blaid Lafur Annibynnol yn 1893 a'r Blaid Lafur* yn 1906. Pan gafodd ei ethol yn Aelod Seneddol dros Ferthyr yn 1900, ef oedd y Sosialydd cyntaf i gynrychioli Cymru.

Hegel, G. W. F. : (1770-1831). Athronydd dylanwadol o'r Almaen. Dysgai nad oedd gwirionedd i'w gael mewn unrhyw egwyddor unigol (thesis), gan fod hwnnw'n gallu gwrthdaro yn erbyn egwyddor unigol arall (antithesis). Yn hytrach, roedd y gwir i'w gael wrth ddwyn y cyfan ynghyd i ffurfio synthesis. Un canlyniad i'r ddysgeidiaeth hon oedd iddi danseilio'r syniad o wirionedd absoliwt. Dylanwadodd hefyd ar Marx a thwf y Blaid Gomiwnyddol*.

Hiwmanistiaeth: Ffordd o feddwl sy'n dyrchafu gallu, daioni, a rheswm dynol, gan gau Duw allan yn llwyr.

Holwyddoreg: Crynodeb o athrawiaethau, ar ffurf holi ac ateb, er mwyn dysgu Cristnogion yn y ffydd*.

Homilïau: Pregethau a gyhoeddwyd yn barod mewn llyfrau at ddefnydd clerigwyr Eglwys Loegr* yn dilyn y Diwygiad Protestannaidd* er mwyn cwrdd â'r angen am bregethu.

Iachawdwriaeth: Term eang sy'n cynnwys holl fendithion grasol* Duw tuag at ei bobl yn Iesu Grist, gan gynnwys maddeuant pechodau*, gwaredigaeth* oddi wrth bechod, cymod a pherthynas newydd â Duw, bywyd tragwyddol, a mwynhau presenoldeb Duw mewn nef newydd a daear newydd maes o law.

Iawn: Yr aberth* dirprwyol* a roddodd Iesu Grist ar y groes*—sef ei fywyd ei hun—er mwyn symud digofaint Duw yn erbyn pechod*. Iawn Crist sy'n sicrhau iachawdwriaeth* a phrynedigaeth*.

IVF: 'Inter-Varsity Fellowship', cymdeithas efengylaidd* a sefydlwyd yn 1928 er mwyn gweithio ymhlith myfyrwyr. Yr enw er 1974 yw 'Universities and Colleges Christian Fellowship'.

Luther, Martin: (1483-1546). Arweinydd y Diwygiad Protestannaidd* yn yr Almaen. Wedi dod i ddeall egwyddor cyfiawnhad* trwy ffydd*, lluniodd restr o 95 o ddadleuon yn erbyn maddeuebau, sef y syniad y gall taliadau ariannol hwyluso'r ffordd i'r nefoedd. Er mai dim ond diwygio'r Eglwys Babyddol* oedd ei nod gwreiddiol, canlyniad ei benderfyniad i seilio ei ddaliadau ar y Beibl oedd rhwyg rhyngddo a Rhufain a chefnogaeth gynyddol i Brotestaniaeth.

Llan: Gweler tt. 16-17,19

Lleygwr: Dyn sydd heb fod yn glerigwr.

Llyfr Gweddi Gyffredin: Hyd yn ddiweddar, hwn oedd llyfr gwasanaeth swyddogol Eglwys Loegr*, gan gynnwys y drefn ar gyfer holl oedfaon yr Eglwys. Cyhoeddwyd y fersiwn cyntaf gan Thomas Cranmer yn 1549, ond fe'i newidiwyd droeon. Er ei fod yn Brotestannaidd* yn ei hanfod, mae'n cynnwys ambell elfen sy'n nes at ddysgeidiaeth yr Eglwys Babyddol*.

Llywelyn ap Gruffudd: (c.1225–82), 'Llywelyn ein Llyw Olaf'. Ef oedd y Cymro olaf i gael ei gydnabod yn Dywysog Cymru gan Frenin Lloegr (Harri III, yn 1267). Llwyddodd i uno rhannau helaeth o Gymru dan ei awdurdod, ond fe'i gwrthwynebwyd gan Edward I a'i ladd gan filwr Seisnig mewn brwydr yn 1282.

Mair: Mam Iesu Grist. O'r bumed ganrif bu tueddi i ddyrchafu safle Mair—gan ymylu weithiau ar ei hystyried yn gyfartal â Christ ei hun—ac i fynegi defosiwn eithafol tuag ati.

Marwnad: Cerdd ddwys ynghylch materion mawr bywyd a marwolaeth, yn enwedig un sy'n coffáu rhywun sydd wedi marw.

Materoliaeth: Gosod gwerth mawr ar eiddo materol a chysur bydol, ar draul gwerthoedd ysbrydol.

Mene, Tecel: Geiriau a ysgrifennwyd yn oruwchnaturiol* ar y wal adeg gwledd a roddwyd gan Belsassar, rheolwr Babilon (Daniel 5:25). Ystyr 'mene' yw 'rhifo': rhifwyd dyddiau Ymerodraeth y Caldeaid.

Ystyr 'tecel' yw 'pwyso': pwyswyd Belsassar yng nghlorian Duw, a'i gael yn brin.

Meseia: Gair Hebraeg, yn golygu'r un peth â'r gair Groeg 'Crist'. Ei ystyr hanfodol yw 'Eneiniog', ac mae'n cyfeirio at berson sydd wedi cael gorchwyl arbennig gan Dduw, a galluoedd arbennig i gyflawni'r gorchwyl hwnnw. Yn yr Hen Destament ceir disgwyl eiddgar am y Meseia a fydd yn gwaredu* pobl Dduw.

Methodistiaeth: Mudiad a gysylltir â'r deffroad crefyddol yn y ddeunawfed ganrif. Yn aml ystyrir i Fethodistiaeth roi gormod o le i'r teimladau; ond at ei gilydd llwyddodd y Methodistiaid i gyfuno profiad ysbrydol dilys ac agwedd iach at bwysigrwydd athrawiaeth feiblaidd. Ffurfiwyd dau gorff Methodistaidd, sef y Methodistiaid Calfinaidd* a'r Methodistiaid Wesleaidd; ond gorlifai'r cyffro Methodistaidd i'r enwadau eraill hefyd. Gweler tt. 73-84

Moroedd y gorllewin: Y moroedd sy'n cysylltu Llydaw, Cernyw, Cymru, Iwerddon, a'r Alban. Bu cryn deithio rhwng y gwledydd Celtaidd ar hyd y moroedd hyn cyn ac yn ystod cyfnod Cristnogaeth gynnar yng Nghymru.

Mudiad Cristnogol y Myfyrwyr: '*Student Christian Movement*', neu *SCM*. Mudiad a dyfodd o wreiddiau efengylaidd* yn niwedd y bedwaredd ganrif ar bymtheg, gan gymryd ei enw yn 1905. Trodd i gyfeiriad mwy rhyddfrydol*, gan bwysleisio'r efengyl gymdeithasol a chwilfrydedd diwinyddol*.

Mynach: Aelod o urdd grefyddol sy'n byw o fewn cymuned arbennig lle mae pawb wedi ymrwymo i fywyd o dlodi, diweirdeb, ac ufudd-dod.

Nawddsant: Sant a ddewiswyd yn benodol i gynrychioli gwlad neu eglwys neu alwedigaeth arbennig er mwyn bod yn ffynhonnell 'nawdd' i bob un sydd dan ei ofal.

Offeren: Yr enw a arferir yn yr Eglwys Babyddol* ar gyfer y cymun, neu Swper yr Arglwydd*. Hanfod y ddefod* yw coffáu marwolaeth Crist drwy gyfrwng bara a gwin; ond credir hefyd fod Crist yn cael ei ailaberthu eto yn yr offeren, a bod y bara a'r gwin yn troi'n gorff a gwaed Crist.

Owain Glyn Dŵr: (c.1354–c.1416) Arweinydd gwrthryfel pwysig yn erbyn awdurdod Lloegr. Er llwyddo'n rhyfeddol am gyfnod, methu a wnaeth y gwrthryfel a diflannodd Glyn Dŵr o'r golwg. Mae ei lythyr Pennal (1406) at Siarl VI, Brenin Ffrainc, yn cynnwys cynlluniau am ddiwygiadau sylfaenol yn yr Eglwys, ynghyd â pholisïau eraill ar gyfer Cymru annibynnol.

Pab: Esgob Rhufain, a phennaeth yr Eglwys Babyddol*. Ystyr yr enw yw 'Tad'.

Paley, William: (1743–1805). Awdur *A View of the Evidences of Christianity* (1794), llyfr a geisiodd gyflwyno dadleuon rhesymegol o blaid dilysrwydd y ffydd* Gristnogol.

Pechod: Yn y bôn mae'n golygu anufudd-dod i ewyllys Duw, yn deillio o agwedd wrthryfelgar at Dduw sy'n gyffredin i'r hil ddynol. O ganlyniad, mae pob aelod o'r hil yn bechadur yng ngolwg Duw. Gweler hefyd 'Pechod gwreiddiol'.

Pechod gwreiddiol: Y ddysgeidiaeth fod pechod* yn rhan o natur y ddynoliaeth er y Cwymp yng Ngardd Eden (Genesis 3). Oherwydd hyn, mae pawb yn gaeth i bechod, gan amlygu'r caethiwed hwn mewn gweithredodd pechadurus.

Pengrwn: Cefnogwyr y Senedd adeg y Rhyfel Cartref yn y 1640au oedd y 'Pengryniaid'; rhoddwyd yr enw iddynt oherwydd iddynt dorri eu gwallt yn gwta.

Pentecostaidd: Cychwynnodd y Mudiad Pentecostaidd ryw hanner canrif cyn y Mudiad Carismatig*, ond ceir ynddo yntau bwyslais mawr ar y math o ddoniau ysbrydol anghyffredin a amlygwyd ar Ddydd y Pentecost (Actua 2). Un gwahaniaeth rhyngddynt yw i'r Pentecostiaid yn gyffredinol gefnu ar yr enwadau traddodiadol gan ffurfio eu heglwysi eu hunain, tra bo carfannau pwysig ymhlith y Carismatiaid wedi aros o fewn eu henwadau.

Penyd: Gorchwyl crefyddol a roddid i berson gan yr Eglwys yn gosb am drosedd, er mwyn dangos fod y person yn edifarhau* am y trosedd hwnnw.

Pererindod: Taith i le o arwyddocâd crefyddol arbennig, yn aml er mwyn ceisio cymorth goruwchnaturiol* gan y person a goffeir yno, neu fel gweithred o ddiolchgarwch neu benyd*.

Plaid Dorïaidd: Yn hanesyddol defnyddir yr enw ar gyfer gwleidyddion a oedd yn benderfynol o gynnal y drefn wleidyddol a chrefyddol yn erbyn pob ymgais i'w diwygio. Yn gyffredinol, felly, roeddynt yn gefnogwyr brwd i'r Eglwys Sefydledig*. Tyfodd y Blaid Geidwadol bresennol allan o'r Torïaid, ond mae gwahaniaethau sylfaenol rhyngddynt.

Plaid Gomiwnyddol: Plaid wleidyddol sy'n ceisio gweithredu trefn gymdeithasol a gwleidyddol a luniwyd yn bennaf gan Karl Marx (1818–83), gan anelu at hybu gwrthdaro rhwng y dosbarthiadau cymdeithasol er mwyn rhoi eiddo a chyfoeth yn nwylo'r gymuned (neu'r wladwriaeth) er lles pawb. Er iddi gael rhywfaint o groeso yng nghymoedd de Cymru rhwng y ddau ryfel byd, ni ddaeth llwyddiant parhaol i'w rhan.

Plaid Lafur: Plaid wleidyddol sydd wedi dadlau dros egwyddorion Sosialaidd cymedrol—i raddau mwy neu lai—er lles y werin. O ddechrau'r ugeinfed ganrif ymlaen, dan arweiniad Keir Hardie*, heriodd rym yr hen Blaid Ryddfrydol*. Bu'n arbennig o lwyddiannus yn ardaloedd diwydiannol Cymru hyd yn ddiweddar.

Plaid Ryddfrydol: Daeth y Blaid Ryddfrydol i fod yn y bedwaredd ganrif ar bymtheg gyda'r nod o hyrwyddo rhyddid yr unigolyn a masnach. Bu'n gryf iawn yng Nghymru o 1868 ymlaen (yn enwedig gydag ethol Henry Richard yn Aelod Seneddol dros Ferthyr y flwyddyn honno, a David Lloyd George yn dod yn Brif Weinidog Prydain yn 1916), ond gwanhau a wnaeth ei gafael yn yr ugeinfed ganrif. Roedd yr Anghydffurfwyr* yn bleidiol iawn i'r Rhyddfrydwyr, ond ar y cyfan cawsant eu siomi yn yr hyn a wnaed drostynt.

Plwyf: Ardal fach o fewn trefniadaeth eglwysig, fel arfer â'i heglwys ei hun.

Plygain: Gwasanaeth a gynhelid yn gynnar ar fore Nadolig yn eglwys y plwyf*.

Premonstratensiaid: Urdd o glerigwyr yn byw gyda'i gilydd mewn cymuned grefyddol. Sefydlwyd yr urdd yn 1120 yn Prémontré, Ffrainc.

Presbyteriaid: Carfan o Anghydffurfwyr* Protestannaidd* sy'n trefnu'r Eglwys ar ffurf llysoedd eglwysig hierarchaidd, a fynychir gan gynrychiolwyr o blith y gweinidogion a'r henuriaid er mwyn penderfynu materion perthnasol. Yn yr unfed a'r ail ganrif ar bymtheg, gobeithiai'r Presbyteriaid osod y patrwm hwn ar yr Eglwys Sefydledig*, ar draul trefn esgobol*, ond methu fu eu hanes. O ganlyniad, gyrrwyd y Presbyteriaid i gyfeiriad Anghydffurfiaeth.

Protestant: Yn dechnegol, deillia'r gair o'r bobl a fu'n 'protestio' yn erbyn penderfyniad Diet Speier yn yr Almaen yn 1529 i ddileu rhyddid crefyddol i ddilynwyr Martin Luther* a oedd yn byw mewn ardaloedd Pabyddol. Yn gyffredinol, fodd bynnag, fe'i defnyddir ar gyfer y rhai a fu'n gwrthwynebu dysgeidiaeth ac arferion yr Eglwys Babyddol* o amser Luther* ymlaen. Gweler tt. 41-54.

Prynedigaeth: Gwaredigaeth oddi wrth bechod* ac adferiad at Dduw, drwy'r Iawn* a dalwyd gan Iesu Grist ar y groes*.

Rheithor: Clerigwr sy'n gofalu am blwyf*. Yr un statws a swyddogaeth sydd i reithor a ficer i bob pwrpas, er y bu gwahaniaeth hanesyddol rhyngddynt o ran y ffordd y derbynient gynhaliaeth ariannol. Mewn rhai amgylchiadau mae gan reithor flaenoriaeth ar ficer.

Rhyddfrydiaeth ddiwinyddol: Tuedd i amau—neu wrthod—athrawiaethau beiblaidd eglur, gan osod pwyslais ar reswm a gallu dynol yn eu lle. Er iddi ddod i'r amlwg yn yr Eglwys ar hyd y canrifoedd, daeth yn arbennig o ddylanwadol o ail hanner y bedwaredd ganrif ar bymtheg ymlaen.

Rhyddfrydiaeth wleidyddol: Gweler 'Plaid Ryddfrydol'.

Saboth: Diwrnod ar gyfer gorffwys oddi wrth ddyletswyddau arferol bywyd a rhoi sylw i faterion ysbrydol. Fe'i neilltuwyd yn ffurfiol fel rhan o'r Deg Gorchymyn (Exodus 20:8-11), ond fe'i newidiwyd o ddiwrnod olaf yr wythnos i'r diwrnod cyntaf gan yr Eglwys Fore* er mwyn dathlu atgyfodiad Iesu Grist oddi wrth y meirw.

Sagrafennau: Mae'r Eglwys Babyddol* yn cydnabod saith sagrafen, ond dim ond dwy—bedydd* a Swper yr Arglwydd*—sy'n cael lle mewn Protestaniaeth* fel arfer. ('Ordinhadau' yw'r gair a arferir gan Anghydffurfwyr*; cydnabyddir sagrafennau eraill o fewn Anglicaniaeth.) Mae sagrafen yn arwydd gweledig o realiti ysbrydol, ac yn rhoi cyfle i'r sawl sy'n ei derbyn i ymgysegru i Iesu Grist. Yn yr Eglwys Babyddol bu tuedd gref i weld rhinwedd penodol yn y sagrafen ei hun yn hytrach na'i hystyried yn symbol cyfoethog.

Sasiynau: Cyfarfodydd cyffredinol y Methodistiaid* ar gyfer pregethu a thrafod materion busnes.

Satan: Enw ar gyfer y diafol, y pennaf o'r angylion a wrthryfelodd yn erbyn Duw.

Seciwlariaeth: Ffordd o feddwl sy'n gwrthod derbyn realiti ysbrydol a gwerthoedd crefyddol.

Seiat, Seiadau: Weithiau rhoddir yr enw 'seiat brofiad' i'r cyfarfod hwn. Roedd yn rhan bwysig iawn o Fethodistiaeth* gynnar, oherwydd i'r seiat y deuai'r Cristnogion ifainc ynghyd er mwyn eu dysgu a chael cymorth i ddeall eu profiadau ysbrydol.

Sentars: Enw arall am Anghydffurfwyr* (o'r gair Saesneg, '*Dissenters*').

Seren fore: Yn dechnegol, planed (yn enwedig Fenws) y gellir ei gweld yn glir cyn y wawr. Mae'n ymadrodd i ddisgrifio arloeswr sy'n paratoi'r ffordd ar gyfer gweithgarwch o wir bwys maes o law.

Sistersiaid: Urdd o fynachod* a sefydlwyd yn Citeaux, Ffrainc, yn 1098, gyda'r bwriad o ddychwelyd at ddisgyblaeth y safonau Benedictaidd*. Tueddai'r mynachlogydd Sistersaidd gael eu lleoli mewn mannau anghysbell, gan roi cyfle i'r mynachod ymroi i weddi, myfyrdod, a gwaith llaw. Fe'u gelwid yn 'Fynachod Gwynion' oherwydd lliw eu gwisg.

Swper yr Arglwydd: Dyma'r enw a ddefnyddir yn aml gan Brotestaniaid* ar gyfer yr hyn a elwir gan yr Eglwys Babyddol* yn 'offeren'*, ond ceir gwahaniaethau sylfaenol rhyngddynt. Mae tipyn llai o seremoni a 'dirgelwch' ynghylch Swper yr Arglwydd. Nid oes unrhyw awgrym fod y bara a'r gwin yn troi'n gorff a gwaed Iesu Grist, na chwaith fod Crist yn cael ei ailaberthu yn y ddefod*. Ac er bod y Swper yn foddion gras*, o werth ysbrydol i'r sawl sy'n derbyn y bara a'r gwin mewn ffydd, nid oes rhinwedd cynhenid yn y bara a'r gwin i sicrhau cymod â Duw. Enw arall arno yw'r 'cymun'.

Symudiad Ymosodol: Mudiad yn perthyn i Fethodistiaid* Calfinaidd* Cymru. Wrth ei sefydlu yn

1891, y bwriad oedd efengylu* yn y trefi diwydiannol ymhlith y rheini a oedd tu allan i gyrraedd yr eglwysi.

Teyrnasoedd Cred: Y byd Cristnogol, neu Gristnogion lled y byd.

Torïaid: Gweler 'Plaid Dorïaidd'.

Trindod: Y ddysgeidiaeth fod tri Pherson yn y Duwdod, sef y Tad, y Mab, a'r Ysbryd Glân, i gyd o'r un sylwedd.

Tröedigaeth: Y weithred o droi at Iesu Grist mewn edifeirwch* a ffydd*, o ganlyniad i ailenedigaeth* ysbrydol.

Tuduriaid: Teulu o dras Gymreig (o Fôn) yn rhannol, a fu'n teyrnasu ar Loegr, 1485–1603. Gorchfygwyd Rhisiart III gan Harri Tudur ym mrwydr Bosworth yn 1485, a choronwyd y buddugwr yn Harri VII. At ei gilydd, digon prin oedd diddordeb y Tuduriaid yn eu treftadaeth Gymreig.

Tutu, Desmond: Archesgob Anglicanaidd Cape Town, 1986–96, ac un o arweinwyr y frwydr yn erbyn apartheid yn Ne Affrig.

Uniongred: Disgrifiad o athrawiaethau sy'n gyson â safonau beiblaidd, o'u cyferbynnu â dysgeidiaeth hereticaidd.

Ymgnawdoliad: Y ddysgeidiaeth fod Iesu Grist, Mab tragwyddol Duw, wedi cymryd cnawd dynol pan ddaeth i'r ddaear, a'i fod o ganlyniad yr un pryd yn wir Dduw ac yn wir ddyn.

Ymneilltuwyr: Enw arall am Anghydffurfwyr*, am iddynt 'ymneilltuo' oddi wrth Eglwys Loegr*.

Ysbytywyr: Urdd filwrol a chrefyddol a gychwynnwyd mewn cysylltiad â Rhyfeloedd y Groes yn yr unfed ganrif ar ddeg. Rhan o waith yr urdd oedd amddiffyn *pererinion a gofalu am gleifion; un canlyniad maes o law oedd ffurfio Brigâd Ambiwlans Sant Ioan.

Ysgolion cylchynol: Yr ysgolion a drefnwyd gan Griffith Jones, Llanddowror, OC 1731–32 ymlaen, ac wedyn gan Thomas Charles. Fe'u gelwir yn 'gylchynol' am iddynt fynd o blwyf* i blwyf, gan aros am ryw dri mis mewn un man cyn symud i fan arall.

Ysgolion Sul: Ysgolion a gynhaliwyd ar y Sul er mwyn dysgu plant a phobl mewn oed i ddarllen y Beibl. Drwy ymdrechion diflino Thomas Charles daethant yn elfen bwysig ym mywyd Cymru, gan roi cyfle i bobl gael addysg elfennol a diwinyddol*

Darllen Pellach

Nid yw'r rhestr isod yn gynhwysfawr o bell ffordd. Er enghraifft, nid yw hi'n cynnwys hen lyfrau (ar wahân i rai sydd wedi eu hailgyhoeddi'n ddiweddar), a gellid dadlau nad oes modd deall y bedwaredd ganrif ar bymtheg heb feistroli cyfrol aruthrol Owen Thomas, *Cofiant John Jones, Talsarn* (1874). Er mwyn cadw hyd y rhestr yn rhesymol, ni chynhwysir llyfrau a gyhoeddwyd cyn 1980 (gydag ambell eithriad pwysig). Ni chofnodir chwaith y llu o weithiau 'seciwlar' ar hanes Cymru sydd—oherwydd dylanwad amlwg y ffydd Gristnogol ar yr hanes hwnnw—yn rhoi sylw helaeth i agweddau ar y ffydd. Mae'n rhaid ychwanegu nad yw pob awdur a enwir isod o angenrheidrwydd yn cydymdeimlo â'r Gristnogaeth y mae'n ysgrifennu amdani.

Ni Chymreigiwyd y manylion llyfryddol: yn hytrach, cadwyd at ffurf y wybodaeth a geir yn y cyfrolau eu hunain. Lle y ceir fersiynau Cymraeg a Saesneg o'r un gwaith, fe'u gosodir y naill ar ôl y llall o fewn yr un cofnod.

Gweithiau Cyffredinol

John Aaron, *Torf Ardderchog: Teithiau Cristnogol trwy Gymru* (Pen-y-bont ar Ogwr: Gwasg Efengylaidd Cymru, 1992)

T. M. Bassett, *Bedyddwyr Cymru* (Abertawe: Tŷ Ilston, 1977)

David Davies, *Echoes from the Welsh Hills* (1883; trydydd argraffiad, 1888; ailgyhoeddwyd Stoke-on-Trent: Tentmaker, 2000)

Eifion Evans, *Fire in the Thatch: The true nature of religious revival* (Bridgend: Evangelical Press of Wales, 1996)

Gwynn ap Gwilym, gol., *Gogoneddus Arglwydd, Henffych Well* (CYTÛN, 1999)

Anthony Jones, *Welsh Chapels* (1984; 2nd ed; Stroud: Alan Sutton for the National Museums and Galleries of Wales, 1996)

Owen Jones, *Some of the Great Preachers of Wales* (1885: ailgyhoeddwyd Stoke-on-Trent, Tentmaker, 1995)

R. M. Jones, *Cyfriniaeth Gymraeg* (Caerdydd: Gwasg Prifysgol Cymru, 1994)

—*Llên Cymru a Chrefydd* (Abertawe: Christopher Davies, 1977)

—(gyda Gwyn Davies), *The Christian Heritage of Welsh Education* (Bridgend: Evangelical Press of Wales/Association of Christian Teachers in Wales, 1986)

R. Tudur Jones, *Grym y Gair a Fflam y Ffydd*, gol. D. Densil Morgan (Bangor: Canolfan Uwch-Efrydiau Crefydd yng Nghymru, Prifysgol Cymru, Bangor, 1998)

—*Hanes Annibynwyr Cymru* (Abertawe: Gwasg John Penry, 1966)

H. Elvet Lewis, *Sweet Singers of Wales* (1889; ailgyhoeddwyd Stoke-on-Trent: Tentmaker, 1994)

Derec Llwyd Morgan, *Y Beibl a Llenyddiaeth Gymraeg* (Llandysul: Gomer, 1998)

Gomer M. Roberts, gol., *Hanes Methodistiaeth Galfinaidd Cymru I: Y Deffroad Mawr; II: Cynnydd y Corff* (Caernarfon: Llyfrfa'r Methodistiaid, 1973, 1978)

Owen Thomas (cyf. John Aaron), *The Atonement Controversy in Welsh Theological Literature and Debate, 1707-1841* (Edinburgh: Banner of Truth, 2002)

David G. Walker, gol., *A History of the Church in Wales* (1976; ailgyhoeddwyd Penarth: Church in Wales Publications, 1990)

Glanmor Williams, *The Welsh and Their Religion* (Cardiff: University of Wales Press, 1991)

Dechreuadau a Deffroadau Er Gwell, Er Gwaeth

Fiona Bowie & Oliver Davies, *Celtic Christian Spirituality* (London: SPCK, 1995)

F. G. Cowley, *The Monastic Order in South Wales, 1066–1349* (Cardiff: University of Wales Press, 1986)

Oliver Davies, *Celtic Christianity in Early Medieval Wales* (Cardiff: University of Wales Press, 1996)

Nancy Edwards & Alan Lane, goln, *The Early Church in Wales and the West* (Oxford: Oxbow, 1992)

D. Simon Evans, gol., *The Welsh Life of St David* (Cardiff: University of Wales Press, 1988)

—*Medieval Religious Literature* (Cardiff: University of Wales Press, 1986)

Donald E. Meek, *The Quest for Celtic Christianity* (Edinburgh: Handsel, 2000)

Thomas O'Loughlin, *Celtic Theology* (London and New York: Continuum, 2000)

Martin Robinson, *Rediscovering the Celts* (London: Fount, 2000)

Charles Thomas, *Christianity in Roman Britain to AD 500* (London: Batsford, 1981)

David H. Williams, *The Welsh Cistercians* (Leominster: Gracewing, 2001)

Glanmor Williams, *Yr Eglwys yng Nghymru o'r Goncwest hyd at y Diwygiad Protestannaidd* (Caerdydd: Gwasg Prifysgol Cymru, 1968); *The Welsh Church from Conquest to Reformation* (1962; argraffiad diwygiedig, Cardiff: University of Wales Press, 1976)

Newıdıadau Tensıynau Cyffro

Gwyn Davies, *Griffith Jones, Llanddowror: Athro Cenedl* (Pen-y-bont ar Ogwr: Gwasg Efengylaidd Cymru, 1984)

Eifion Evans, *Daniel Rowland and the Great Evangelical Awakening in Wales* (Edinburgh: Banner of Truth, 1985)

—*Pursued by God* [Williams Pantycelyn and *Theomemphus*] (Bridgend: Evangelical Press of Wales, 1996)

Alan Gaunt, *et al.*, *Ann Griffiths: Hymns and Letters* (London: Stainer and Bell, 1999)

R. Geraint Gruffydd, gol., *Y Gair ar Waith* (Caerdydd: Gwasg Prifysgol Cymru, 1988)

Hugh J. Hughes, *Life of Howell Harris—The Welsh reformer* (1892; ailgyhoeddwyd Stoke-on-Trent: Tentmaker, 1996)

Geraint H. Jenkins, *Protestant Dissenters in Wales, 1639–1689* (Cardiff: University of Wales Press, 1992)

D. Geraint Jones, *Favoured with Frequent Revivals: Revivals in Wales, 1762-1862* (Cardiff: Heath Christian Trust, 2001)

David Jones, *Griffith Jones, Llanddowror* (1902; ailgyhoeddwyd Clonmel: Tentmaker, 1995)

J. Gwynfor Jones, gol., *Agweddau ar Dwf Piwritaniaeth yng Nghymru yn yr Ail Ganrif ar Bymtheg* (Lewiston/Queenston/Llanbedr Pont Steffan: Gwasg Edwin Mellen, 1992)

Nesta Lloyd, gol., *Cerddi'r Ficer: Detholiad o gerddi Rhys Prichard* (Barddas, 1994)

Derec Llwyd Morgan, *Y Diwygiad Mawr* (Llandysul: Gomer, 1981); *The Great Awakening in Wales* (London: Epworth, 1988)

Goronwy Wyn Owen, *Rhwng Calfin a Böhme: Golwg ar syniadaeth Morgan Llwyd* (Caerdydd: Gwasg Prifysgol Cymru, 2001)

Samuel J. Rogal, *John Wesley in Wales, 1739-1790: Lions and lambs* (Lewiston/Queenston/Lampeter: Edwin Mellen Press, 1994)

Isaac Thomas, *William Morgan a'i Feibl* (Caerdydd: Gwasg Prifysgol Cymru, 1988)

Geraint Tudur, *Howell Harris: From conversion to separation, 1735–50* (Cardiff: University of Wales Press, 2000)

Michael R. Watts, *The Dissenters I: From the Reformation to the French Revolution* (Oxford: Clarendon, 1978); *II: The Expansion of Evangelical Nonconformity* (Oxford: Oxford University Press, 1995)

Glanmor Williams, *Wales and the Reformation* (Cardiff: University of Wales Press, 1997)

William Williams, Pantycelyn, *The Experience Meeting* (*Drws y Society Profiad,* 1777; cyfieithiad Saesneg, Vancouver: Regent College, 1995)

William Williams, *Welsh Calvinistic Methodism* (1872; argraffiad diwygiedig 1884; ailgyhoeddwyd Bridgend: Bryntirion Press, 1998)

Gobaıth a Gofıd Canhwyllau yn y Gwyll

Eifion Evans, *Revival Comes to Wales: The story of the 1859 revival in Wales* (1959, dan y teitl, *When He is Come*; trydydd argraffiad, Bridgend: Evangelical Press of Wales, 1986)

—*The Welsh Revival of 1904* (1969; trydydd argraffiad, Bridgend: Evangelical Press of Wales, 1987)

Geraint Fielder, *Grit, Grace, and Gumption: The exploits of John Pugh, Frank and Seth Joshua* (Fearn & Bridgend: Christian Focus & Bryntirion Press, 2000)

Noel Gibbard, *Cofio Hanner Canrif: Hanes Mudiad Efengylaidd Cymru 1948–1998* (Pen-y-bont ar Ogwr: Gwasg Bryntirion, 2000); *The First Fifty Years: The History of the Evangelical Movement of Wales 1948–1998* (Bridgend: Bryntirion Press, 2002)

—*Cymwynaswyr Madagascar, 1818–1920: Cyfraniad Cymru i'r dystiolaeth Gristnogol ym Madagascar* (Pen-y-bont ar Ogwr: Gwasg Bryntirion, 1999)

—*Griffith John: Apostle to Central China* (Bridgend: Bryntirion Press, 1998)

Brynmor Pierce Jones, *The King's Champions: Revival and reaction 1905-1935* (1968; argraffiad ehangach, Glascoed: yr awdur, 1986)

—*Voices from the Welsh Revival, 1904-1905* (Bridgend: Evangelical Press of Wales, 1995)

—*How Lovely are Thy Dwellings* (Newport: Wellspring, 2000)

R. Tudur Jones, *Ffydd ac Argyfwng Cenedl: Hanes crefydd yng Nghymru, 1890–1914 I: Prysurdeb a Phryder; II: Dryswch a Diwygiad* (Abertawe: Tŷ John Penry, 1981; 1982)

D. Densil Morgan, *The Span of the Cross: Christian religion and society in Wales, 1914–2000* (Cardiff: University of Wales Press, 1999)

Iain H. Murray, *D. Martyn Lloyd-Jones: I: The First Forty Years, 1899–1939; II: The Fight of Faith, 1939-1981* (Edinburgh: Banner of Truth, 1982; 1990)

Thomas Phillips, *The Welsh Revival* [of 1858–60] (1860; ailgyhoeddwyd Edinburgh: Banner of Truth, 1989)

Robert Pope, *Seeking God's Kingdom: The Nonconformist social gospel in Wales, 1906–1939* (Cardiff: University of Wales Press, 1999)

D. Ben Rees, *Llestri Gras a Gobaith: Cymry a chenhadon yr India* (Lerpwl: Cyhoeddiadau Modern, 2001)

Robert Rhys, *Daniel Owen* (Caerdydd: Gwasg Prifysgol Cymru, 2000)

Tim Shenton, *Christmas Evans* (Darlington: Evangelical Press, 2001)

Dyfyniadau yn y Testun

31. 'Merched Llanbadarn', yn Thomas Parry, gol., *Gwaith Dafydd ap Gwilym* (ail argraffiad; Caerdydd: Gwasg Prifysgol Cymru, 1963), 130.

32. R. M. Jones, *Cyfriniaeth Gymraeg* (Caerdydd: Gwasg Prifysgol Cymru, 1994), 26-27.

32. Gwynn ap Gwilym, gol., *Gogoneddus Arglwydd, Henffych Well!* (CYTÛN, 1999), 7-8.

33. R. M. Jones, *Cyfriniaeth Gymraeg*, 26.

38. W. W. Capes, gol., *Registrum Johannis Trefnant, A.D. MCCCLXXXIX–MCCCCIV* (Canterbury and York Society, 1916), 408-9, dyfynnwyd yn Glanmor Williams, *The Welsh Church from Conquest to Reformation* (Cardiff: University of Wales Press, 1962), 204.

48. W. Grinton Berry, gol., *Foxe's Book of Martyrs* (London: Religious Tract Society , dim dyddiad), 135; T[homas] Jones, *Diwygwyr, Merthyron, a Chyffeswyr Eglwys Loegr* . . . (Dinbych: T. Gee dros T. Jones, 1813), 3.

49. D. Roy Saer, 'Owain Gwynedd', *Llên Cymru*, VI (1960–61), 205.

54. Richard Davies, *Epistol at y Cembru* (1567); yn Garfield H. Hughes, gol., Rhagymadrodidion 1547–1659 (Caerdydd: Gwasg Prifysgol Cymru, 1951), 26.

57. Percival Wiburn, *A checke or reproofe of M. Howlet's untimely schreeching*, 1581 (25586), fol. 15v; dyfynnir yn Patrick Collinson, *The Elizabethan Puritan Movement* (1967; ailgyhoeddwyd Oxford: Clarendon, 1990), 27.

59. John Penry, *An exhortation unto the gouernours and people of Hir Majesties countrie of Wales. . .* yn David Williams, gol., *John Penry: Three Treatises concerning Wales* (Cardiff: University of Wales Press, 1960), 62, 63.

60. C. Hill, 'Puritans and the "Dark Corners of the Land",' *Transactions of the Royal Historical Society*, 13 (1963), 77-102.

60. Rice Rees, gol., *Y Seren Foreu, neu Ganwyll y Cymry* (ail argraffiad; Llanymddyfri: William Rees; Llundain: Longman, 1858), 19. Gweler hefyd y detholiad o benillion a geir yn Nesta Lloyd, gol., *Cerddi'r Ficer* (Barddas, 1994), 58.

63. T. Charles & P. Oliver, goln., *The Works of . . .*

Walter Cradock (Chester, 1800), 380–1.

64. 'Llyfr y Tri Aderyn', yn Thomas E. Ellis, gol., *Gweithiau Morgan Llwyd*, I (Caerdydd: Gwasg Prifysgol Cymru, 1899), 258–9.

66. Rice Rees, gol., *Canwyll y Cymry*, 228, 33, 50, 12. Ceir fersiwn gwahanol o'r pennill ar Lanymddyfri yn Nesta Lloyd, gol., *Cerddi'r Ficer*, 39.

72. Griffith Jones, *Cyngor Rhad yr Anllythrennog* (1737), 1.

72. George Whitefield, *Journals* (London: Banner of Truth, 1960), 231, 226.

74. 'Marwnad er coffadwriaeth am Mr Howel Harris' yn N. Cynhafal Jones, gol., *Gweithiau Williams Pant-y-Celyn*, I (Treffynnon: P. M. Evans, 1887), 491.

75. *Ibid*, 492.

78. *Ibid*, 491

78. Griffith T. Roberts, *Howell Harris* (London: Epworth, 1951), 36.DR: Boanerges:

78. 'Marwnad . . . Howel Harris', 494

79. 'Marwnad . . . Daniel Rowland', N. Cynhafal Jones, *Gweithiau Williams Pant-y-celyn*, I, 582, 583.

92. Jonathan Edwards, 'A History of the Work of Redemption . . .', yn *Works* I (1834; ailgyhoeddwyd Edinburgh: Banner of Truth, 1974), 539.

96. Daniel Owen, *Profedigaethau Enoc Huws* (Wrexham: Hughes & Son, 1891), 32.

97. Thomas Jones, gol., *Old Memories: Autobiography of Sir Henry Jones C.H.* (London: Hodder and Stoughton, 1922), 185.

98. David Adams, *Traethawd ar Ddatblygiad yn ei Berthynas â'r Cwymp, yr Ymgnawdoliad a'r Atgyfodiad* (Caernarfon: Cwmni'r Wasg Genedlaethol Gymreig, 1893), 153.

111. *Y Beibl Cymraeg Newydd* (Swindon: Cymdeithas y Beibl, 1988), iii.

114. R. Tudur Jones, 'Y Gair a'r Genedl', *Y Cylchgrawn Efengylaidd*, 28, 3 (Haf 1991), 7.

117. D. Gwenallt Jones, 'Cymru', yn Christine James, gol., *Cerddi Gwenallt: Y Casgliad Cyflawn* (Llandysul: Gomer, 2001), 70.

122. Saunders Lewis, *Buchedd Garmon* (Aberystwyth: Gwasg Aberystwyth, 1937), 48.

Dyɟyniadau aʀ Yɰyl y Dɗalen

19. D. Simon Evans, gol., *Buchedd Dewi* (Caerdydd: Gwasg Prifysgol Cymru, 1959), 21.

20. *Confessio* Padrig Sant, yn Brian de Breffny, *In the Steps of St Patrick* (London: Thames & Hudson, 1982), 162-3.

21. Cyfieithiad Cymraeg gan Dafydd Job, yn Arfon Jones, gol., *Grym Mawl 2* (Llanelli: Newid, trwy gydweithrediad y Gynghrair Efengylaidd, 1998), rhif 10.

29. Thomas Jones, gol., *Gerallt Gymro: Hanes y daith trwy Gymru; Disgrifiad o Gymru* (Caerdydd: Gwasg Prifysgol Cymru, 1938), 232.

31. Awstin Maximilian Thomas, *Cyffesion Awstin Sant* (Caernarfon: Llyfrfa'r M. C., 1973), 184.

34. Rhan o gân Bernard o Clairvaux (1090-1153), neu o bosibl un o'i ddilynwyr, wedi ei hefelychu gan Thomas Jones, Dinbych (1756–1820), un o arweinwyr pwysicaf Methodistiaid Cymru yn rhan gyntaf y bedwaredd ganrif ar bymtheg.

37. Rhan o 'Mab a'n rhodded', gan Madog ap Gwallter, yn Gwynn ap Gwilym, gol., *Gogoneddus Arglwydd, Henffych Well!*, 11, 12.

39. 'Mawl Rhys Gryg o Ddeheubarth', yn Elin M. Jones, gol., *Gwaith Llywarch ap Llywelyn, 'Prydydd y Moch'* (Caerdydd: Gwasg Prifysgol Cymru, 1991), 271.

40. Rhan o gerdd wely angau / gerdd edifeirwch gan Cynddelw Brydydd Mawr, yn Gwynn ap Gwilym, gol., *Gogoneddus Arglwydd, Henffych Well!*, 23, 25.

43. William Salesbury, *Oll Synnwyr Pen Kembero Ygyd* (1547), yn Garfield H. Hughes, *Rhagymadroddion 1547-1659* (Caerdydd: Gwasg Prifysgol Cymru, 1951), 11.

45. Thomas Jones, *Diwygwyr, Merthyron, a Chyffeswyr Eglwys Loegr . . .* (Dinbych: T. Gee dros T. Jones, 1813), 236.

52. Pennill o fersiwn Edmwnd Prys yn ei *Salmau Cân*, 1621.

53. Rhan o'r gyffes gyffredin, o Drefn y Weddi Foreol yn y *Llyfr Gweddi Gyffredin.* Ymddangosodd y cyfieithiad gan William Salesbury yn 1567; cyhoeddwyd fersiwn diwygiedig, gan William Morgan yn ôl pob tebyg, yn 1599.

54. Enid P. Roberts, gol., *Gwaith Siôn Tudur*, I (Y golygydd: Bangor, 1978), 375.

57. Gweddi yn Richard Jones, *Galwad i'r Annychweledig* (1659; ailargraffwyd 1677), 214. Cyfieithodd Jones (1603?-73) nifer o weithiau gan Biwritaniaid Seisnig i'r Gymraeg. Y llyfr gwreiddiol oedd *A Call to the Unconverted*, gan Richard Baxter (1658).

58. William Pierce, *John Penry: His life, times, and writings* (London: Hodder & Stoughton, 1923), 457.

62. Morgan Llwyd, 'Gwaedd yng Nghymru yn wyneb pob cydwybod', yn P. J. Donovan, gol., *Ysgrifeniadau Byrion Morgan Llwyd* (Caerdydd: Gwasg Prifysgol Cymru ar ran yr Academi Gymreig, 1985), 15-16.

67. Charles Edwards, *Y Ffydd Ddi-ffuant* (trydydd argraffiad, 1677; ailgyhoeddwyd Caerdydd: Gwasg Prifysgol Cymru, 1936), 373.

71. Edward Morgan, gol., *Letters of the Rev. Griffith Jones . . .* (London, 1832), 55-56.

74. Gomer M. Roberts, gol., *Selected Trevecka Letters*, I, 1742–1747 (Caernarvon: Calvinistic Methodist Bookroom, 1956), 166.

75. Richard Bennett, *Blynyddoedd Cyntaf Methodistiaeth* (Caernarfon: Llyfrfa y Cyfundeb, 1909), 49.

82. Bobi Jones, *Pedwar Emynydd* (Llandybie: Llyfrau'r Dryw, 1970), 37. Cyhoeddwyd emynau Ann Griffiths gyntaf yn *Casgliad o Hymnau* (1806).

83. Thomas Jones, gol., *Cofiant . . . Thomas Charles* (Bala: Robert Saunderson, 1816), 8-9.

88. Cyhoeddwyd yr emyn yng nghasgliad Morris Davies, *Salmau a Hymnau* (1832).

89. Owen Thomas, *Cofiant . . . Henry Rees*, II (Wrexham: Hughes and Son, 1890), 1125.

93. J. J. Morgan, *Hanes Dafydd Morgan Ysbyty a Diwygiad 59* (Yr awdur: Yr Wyddgrug, 1906), 625.

97. Goronwy P. Owen, gol., *Hunangofiant John Elias* (Pen-y-bont ar Ogwr: Mudiad Efengylaidd Cymru, 1974), 79. Gweler hefyd *John Elias: Life, Letters, and Essays* (1844, 1847; ailgyhoeddwyd Edinburgh: Banner of Truth, 1973), 178-9.

98. Daniel Owen, *Enoc Huws,* 155. Cymeriad yn y nofel yw Dafydd Dafis.

103. Nantlais, *O Gopa Bryn Nebo* (Llandysul: Gwasg Gomer, 1967), 66.

111. Bobi Jones, *Sioc o'r Gofod* (Dinbych: Gwasg Gee, 1971), 27.

113. D. Martyn Lloyd-Jones, *Llais y Doctor* (Pen-y-bont ar Ogwr: Gwasg Bryntirion, 1999), 95.

115. D. Gwenallt Jones, 'Ar Gyfeiliorn', yn Christine James, gol., Cerddi Gwenallt: Y Casgliad Cyflawn (Llandysul: Gwasg Gomer, 2001), 72.

121. 'Sgwrs ag R. Geraint Gruffydd', *Y Cylchgrawn Efengylaidd*, 30, 3 (Haf 1993), 8.

Cydnabod

Dymunir cydnabod caredigrwydd y rhai canlynol wrth iddynt ddarparu lluniau, neu ryddhau'r hawlfraint arnynt a rhoi caniatâd iddynt gael eu cynnwys yn y llyfr:

Amgueddfa Caerfyrddin, tud.15,32,48,66,73,89

Bwrdd Croeso Cymru, tud.10,11,36,51,52,64,119

Amgueddfa ac Oriel Casnewydd, tud.13

Ymddiriedolaeth Archaeolegol Dyfed, tud. 17,23,26

Cyngor Sir Caerdydd, tud.18

Chastel et Courtois, tud. 22

Eglwys Gadeiriol Lichfield, tud. 2,24

Llyfrgell Genedlaethol Cymru, tud. 33,46,49,50,55,73,74,81,87,91,93

Banner of Truth, tud. 38,63,70,86,92,110

Undeb yr Annibynwyr Cymraeg,Tŷ John Penry, Abertawe, tud. 68,96,104

Coleg y Bala, tud. 118

Ann Rhys, tud. 107

Canolfan Trefeca, Eglwys Presbyteraidd Cymru, tud. 70,77

Gwasg Gomer, tud. 103

Yr Eglwys Apostolaidd, tud. 102, 108

Coleg Efengylaidd Diwinyddol Cymru, tud. 113

Y Cymro, tud. 114

Drwy gwrteisi The National Portrait Gallery, tud. 44,61,77(gwaelod),99

Graham Hind, tud. 28

Mynegai

Mynegai 1 Enwau Pobl

Mynegai i Enwau Lleoedd

Mynegai Pynciau

Mynegai ı Weirhiau a Grybwyllir yng Nghorff y Llyfr